U0165334

我們沒有約好的明天

Toro郭葦昀 著

推薦序 ⏯

文字紀錄片

知名作詞人 / 方文山

Toro(郭葦昀) 這本言詞懇切、思慮清晰的新書，其文字敏銳、落筆犀利、敘事有條理，字裡行間的邏輯性很強。因此，閱讀起來引人入勝，篇幅章節裡處處是 Toro 式的哲理，感覺有某個觀念衝擊到你，似乎有那裡不對勁，但他就是有本事言之成理。創作來自於觀察，然後再付諸文字；很顯然的，Toro 是有能力將觀察到的事物與現象，透過文字描述還原其畫面，讓人閱讀時自行產生出影像感。

這本《我們沒有約好的明天》嚴格說起來，不是一本書，而是一本雜誌。因其內容有生活札記、隨筆散文與詩文歌詞，以及社會觀察跟行業評論文，所以實在很難將它定調為單一元素與類別的書。如果我們把《我們沒有約好的明天》當成一部電影來觀看與欣賞，你會發現 Toro 在這部電影裡的角色多變且轉換很大，一下是青春熱血義無反顧的大男孩，一下是具有文青氣質的歌詞作者，

接著又成為滔滔不絕激勵人心的演說家，然後瞬間又轉換成心思縝密的專業經理人。

在這部《我們沒有約好的明天》的文字電影裡，我們可以看到 Toro 說理敘事的獨特節奏感，其文章自成一派，具有影像化風格，可以理解成是一部「文字紀錄片」。在書中某些篇幅與章節裡，我們甚至都能從中挖掘與發展出一部戲劇甚或一部電影。而且在這部「文字紀錄片」裡，可以直觀的展現出 Toro 他個人的價值觀、對人生的體悟以及處世哲學，你也可以總結成這本書是他對這個世界的解讀跟態度。如果說「閱讀是投資報酬率最高的事情」，那麼這本文字含金量很高的《我們沒有約好的明天》，必定是一項回報率很高的閱讀投資。

前言 ⏸

這是一本學習人生功課的書，渺小的我只能提供我的人生歷練經驗。

你們知道書跟網路文字有什麼不一樣的意義嗎？

四十歲的我看起來很有邏輯，能言善辯，為何我要寫「書」？而不是拍攝一支影片？或是接受好幾段的訪談？

因為印刷過的紙張是可以被燒毀，或是慢慢跟地球土壤同化或不同化，但是出書就是一個時代被記錄下來的文物。

這些文字都是我一字一句看過、想過、修過、寫過。

不是加以表情或聲線的闡述，是極其矯情卻又不矯情的敘述，人生一半的領悟，也是能夠直接連結我們之間實體的禮物。

文字是一種難以想像的力量，我不太接觸網路社群世界，所以這本書裡的照片，彌補了這些年應該放在社群但沒有的。

這本書算是我前十年的「社群照片精選吧」！

沒有當藝人的這些年，甚至放棄「Toro」稱呼的這些年，我大概長什麼樣子？做了什麼？都在這本書裡。

***

一直相信轉念可以改變人生，我甚至用轉念的概念寫了
一個故事叫「12」，還拿到了優良劇本獎項。

不太接觸網路世界的我，2022 年 6 月，轉念寫下了這段
文字，放在我不太用的網路上。

這一段文字，在科技進步下，透過了網路傳播出去。

一開始四萬人看，後來四十萬人看到，最後可能有四百萬
人看了。

但那些人沒有直接影響我的生命，四億人看了又如何？

原來，這顆星球上，有四個人看了。

那四個人，是我人生進入社會的起點，也是外界對我的認
知。

而他們看到了。

下面是改變「我們」人生的韻腳文字：

突然被時光追趕，倒數時間到了，好像就該被打開。

這可能是我的前半生自傳，就只是娛樂人類的一粒塵埃。

輕輕地，我打開了家門，那些海報已經泛黃積塵，

這麼剛好，我是個念舊的人。

看著照片，開始倒轉我的半熟人生。

故事起源是一個少男找了幾個夥伴，不是選秀，不是通過公司亂湊安排，目標一致，像個獨立舞團地站上了大舞臺。

出道四十多天就開演唱會，第一場粉絲居然好多萬，笑聲淚水不斷，忙到回不了家。

盡情揮灑二十多歲的汗水，亞洲巡迴，登上節目、雜誌排行榜，搶先拿到已記不得的光環。

那時幕後比幕前發生的事情好玩，每天換車繞好久才能回去，因為私生粉跟慘了。

等等，這個名詞好像不屬於那個年代，而且我用來創作的名字，這十年有偷偷換過。

回到那時我們只是繞了半個亞洲的孩子，名利來得太快，也來得太慢。小孩不懂大人，所以自己開始作亂；大人也看不懂小孩，一與四不等於五的拆。

像是灌籃高手、海賊王的信賴，突然變成一場商業拼盤，
某些東西被撕開，時間會把它閤起來，卻又閤不起來。

Forever young 的存在，
好久沒有真誠地大笑，靈魂的天真少了一半。
想要擁有日漫英雄的價值觀，才發現自己欣賞的其實是反
派。
好像人生就停在那幾年的不孤單，外面的世界也只記得
你當時等級的腦袋。
可是，每一天的記憶都像寶藏一樣停留在腦海。
一開始只能撐著，底氣夠強、混搭傲氣，努力把有時同
事、有時對手的朋友打敗。
說著沒消化的臺詞，不會演戲卻稱霸電視臺，這些劇還
是很多人看。
每個月過著飛行少年的生活，把飛機當作睡眠艙，終於
在馬來西亞破了當地紀錄，但回到飯店卻開始悲觀，慢
慢失去朋友，失去家人，失去價值觀……
認識的人愈多，發現朋友圈愈窄，最好的時代也是最壞。

訂了飛往紐約的機票，決定把自己關起來。收入來自娛樂還給娛樂，於是投資了樂團、舞團，開始蓄鬚裝成熟，跟人對賭、投資、攤牌，以為很成功的失敗，卻被一個晚輩偶像說教：「你以為你在做事，但其實你都在玩。」

收起行囊，穿起西裝，飛去了香港，跟著億萬大老闆打造電影經濟和慈善活動。
酒醉的上海，那些巨大或假裝龐大公司的老闆，在 KTV 應酬時還是會點第一百次的〈放手〉來調侃自己。

幾年後，換了一批臉孔嶄新的事業夥伴，發現五個人署名合作，比自己簽名給五萬個歌迷更難。
電腦裡寫了一百個故事跟企畫案，以為起碼可以完成一半，實際落實的大概是 0.03%……
自己做的東西都要自己買單，發現其實比的不是創意，是後臺；自我實現跟產業需求永遠不簡單。
還記得在北京時假裝住五星級飯店，請別人的司機送我

們回去，在 Lobby 轉一轉，確認司機離開後，才跟夥伴
走到旁邊廉價的旅館。
打腫臉充胖子的透支，懂得自己不是唯一的天才。

Forever young 的剛剛好，
我做的好事不算少，那些小奸小惡應該也把它忘掉。
站了 C 位多年，懂得站旁邊也很好。沒有銷量熱度、復
不復出的困擾，而我其實可以這樣一直到老。
轉眼數十載，身邊換了一個又一個的伴，中間疑惑自己
到底愛的是女是男，我覺得現在應該可以找到真愛。
創作、IP、作詞、寫本、演唱會、音樂劇，企畫過天王
天后天團，昨天跟世界最大的饒舌品牌老闆一起吃晚餐，
隔天跟新崛起的地下樂團小朋友共患難，觀念不停切換。
當了還在找錢的總裁，看著報導裡的自己，居然是那些
記者提醒我，曾經是個瀟灑可愛的少男。
人生只過了一半，當年那些卡片裡許願嫁給我的少女，
也好像不存在。

穿過時間線，一下子就是未來。有些人還在，有些人已經離開。

有些電話撥了號碼卻已經更換，那些你看不起的成了天菜，有些英雄卻輸在一場狂歡。

如今最紅的網紅告訴你，四十歲的自己其實不用修圖、修掉眼袋。

抱歉，我剛剛暫停寫詞，看了鏡子還是覺得自己很帥。

找不到一顆按鈕，讓人生倒帶。

但我活著就是為了創造精彩，還在擔心的你，不用擔心了。

以上算是我的告白。終於，二十年了，我沒成寇也還沒封王，雖然彼此的目標不同，但是終點一樣會到達。

Contents

Vol.2 我是詞人　P.119

VOL

1

輯一 致青春
TORO

你知道嗎？我在人生過了一半才學會說「我愛你」，

因為我以前覺得「我愛你」很假，並沒有真的「愛」。

「愛」是要經歷故事起承轉合的綜合覺悟，

在我的世界裡，「愛」是「恨」，也是「在意」，也是「持續的關係」。

我有暗黑的故事，我有榮光的日子；

我們有最不帶遺憾的日子，也有重返光榮的日子。

跟著這些人，我能接受到愛，也能給予我付出的愛，是生命的淬煉。

最後值得在路上讓我轉頭對他說一句：「我愛你」的，必定故事太精彩了！

舞動高中生

到了高中，我第一次接觸到什麼叫社團活動，

我還記得那一年我們創辦了「熱舞社」這個名字，因為其他學校已經有了。

我並沒有擔任社長或副社長，我跟著創社叫宗大鈞的同學，一起把當時學校的土風舞社團，正名為熱舞社。

那一年街舞不算是最流行，只是一群國中愛看 L.A.boyz 的男生真的非常喜歡這個文化，我們就一股腦地栽入了這個世界。

我還記得我學的是 Locking 這個舞風，當然還有地板動作，因為那個看起來最帥。

Locking 是雙手拿著兩個杯子往上把手翻過來一個半圈，然後要讓杯口對齊，接著順著身體往下壓，做出一個騎摩托車的動作。

當然，還因為熱舞社老師，只比我們大幾歲，每次示範的時候，他風車地板動作真的是太帥了，所以我也跟著趴在地上翻來翻去。

這些動作，我應該練了有幾千次。當時一定沒有想過，不到幾年的時間，我會帶著這些動作繞著全亞洲表演給很多人看。

十七歲那年，我也背上了 bass、四根弦 EADG 的爬格子，當旁邊的人正在練習，學著初出茅廬的五月天樂團剛剛發行的第一張唱片怎麼彈吉他的時候，我已經在練習日本的彩虹樂團速彈了。

只是那個時候不知道創作都是先模仿。

我會寫歌詞也是從高中開始。

誰不是上課偷偷聽著抽屜裡的 CD 隨身聽，然後像女生一樣，在一個小本子抄寫當年的流行歌詞呢？

我記得我抄寫在小本子裡的歌詞有黃立行的〈馬戲團猴子〉、利綺的〈愛太遠〉，還有《灌籃高手》的主題曲中文歌詞，配合著不懂的青春故事。

那個時候，我在學校裡有四個最好的朋友。其中一個是熱音社的吉他手，長得很像寶智孔，也像麥特戴蒙。另外一個身高快要兩百公分，是籃球隊的主力中鋒。

還有一個，就是你們也知道的謝坤達。

我們四個不同班級，但是常常混在一起。

早在 F4 還沒有出道之前，我們已經是新店高中四人組。

後來我居然成為街舞電影的顧問，回到這個拍攝的學校地點，穿上學弟的高中制服。

這個應該是三十歲左右的時候，也是我沒有使用 Toro 名字的時候。

我那個時候跟街舞圈的人混得很熟，甚至跑去美國發源地，去理解街舞這個文化的真實背景。

我記得我訪問了很多街舞的創始人，

有些人已經過世了，但有些人還很老的存在。

讓我最意外的是意外地發現街舞創始的一個概念，

就是最早在美國的紐約阿波羅戲院。

黑人非常貧窮，但他們有自己的音樂文化，而他們不是很喜歡白人的西部牛仔打鬥片，他們喜歡看香港的李小龍。

於是他們隨著音樂起舞，模仿李小龍的動作。

對著空氣耍雙節棍，後來變成 Locking 的概念。

李小龍截拳道打著寸勁，嘴裡特殊的叫聲跟呼吸吐納，演變 popping 的寸勁。

那些李小龍的飛踢動作翻身，我就不用解釋地板動作的 B-boy 怎麼做了。

這很有趣，從一個高中的社團跳舞，跳到跟世界創始人的對話。

我也算是活在這個年代，理解這一切的人。

最榮光的一天

記得我們第一次上娛樂新聞，第一次上電視節目介紹我們自己。

就在那個黃金年代，娛樂新聞的主持人在最後告訴觀眾，喜歡我們這個團體的可以傳真過來，因為下個禮拜還會邀請我們。但真的沒想到一個禮拜的曝光，也就是那個幾個節目的露出，我們的人生一週之內有了巨大轉變。

我們乘坐的保母車，後面會跟著很多計程車，裡面載著滿滿的歌迷追著我們到處跑。

一個禮拜後的娛樂新聞，我們走進跟上週一樣的攝影棚，真的看傻了眼！整個攝影棚都是傳真紙，有點像是阿拉丁跟神燈精靈去到寶藏洞窟一樣的滿。

製作小組告訴我們，我們上週錄影播出的隔天，他們攝影棚所有的紙張都用完了，

然後整個南港區，所有的文具店、書局能夠買到傳真紙的，也全部被他們買下來。

但是，從海內外傳真過來的歌迷問候沒有停止過。從這

一天開始，我們就開始連署演唱會，經過不到幾週的努力，幾萬人幫我們連署，我們破天荒的破紀錄，應該是全華人甚至全世界吧。

從第一次露臉打招呼，到舉辦萬人演唱會，我們真的只花了四十九天。

如果有人問我，那天感動嗎？
我覺得我們的共識都是攻頂插旗了的感覺。因為其實沒有時間感動，也沒有時間休息，慶功宴到半夜，隔天就要飛去海外繼續開演唱會。

我還記得在飛機裡，坤達就坐在我旁邊，他一手拿著叉子，叉了麵包，塞進嘴裡還沒有咀嚼，就像時間暫停不動一樣地睡著了。
那一天應該是我們最榮光的一天吧？

我們長久累積的實力跟練習，在那一刻兌現了，然後所有事情發生得都非常快速，也非常的緩慢。
我們並沒有往下坡，我們一直向上，但我們來不及消化。

輯一　致青春

消失的那些年

我真的很久沒有用到「Toro」這個名字。

其實最有趣的就是投資時沒有計算回收，就在找投資人的時候，被香港的影視老闆收服了。

那時候，這間公司讓我大開眼界。

以前在唱片公司參與音樂製作，感覺視野已經頂天。這真的是井底之蛙的想法。

自認為參加過很多頒獎典禮跟活動演唱會，旁邊站了周杰倫、蔡依林一堆人。（印象中最大局就是參加《手牽手》大合唱，那天我們旁邊都是張惠妹、動力火車、陶喆、王力宏，這種等級。如果是你，你也會覺得自己頂天了，而且我們還遲到。）

直到到了香港見識電影幾億幾億的投資製作。映入眼簾的是成龍、劉德華、梁家輝、鄭秀文、任達華，這種從小不覺得會接觸到的人。

對方還會跟你交換聯絡方式，跟你開會，這可能想都沒想過。

輯一　致青春

但什麼位子做什麼事，說什麼話。

你不用跟這些巨星解釋你自己也是個明星，而是盡力用自己的思路跟辦法，處理對方或是項目內需要解決的問題。

在那幾年，自己的欲望少了，而是滿足大團隊的困惑。

中間有一段迷惑的時間，讓我領悟最深。

我直接提人名就是陳玉珊導演。

（作品有《薰衣草》、《海豚灣戀人》、《王子變青蛙》、《命中注定我愛你》、《敗犬女王》、《我的少女時代》……）

她當時剛剛離開任職的電視臺，自己創業。

我們以前合作過我主演的《雪天使》，她是製作人。

但事後我們有聊過，其實當年合作的時候並沒有溝通太多太深入，因為當時我的經紀公司非常保護我，哈哈哈！

都是有人轉達意見，製作人要直接跟我對事情總隔了一層。

當時玉珊姊跟我聯絡上了，她不是很了解我做幕後，包括那些獨立樂團跟電影公司的事情。

她有一齣古裝大戲的男主角要找人，她問了我檔期。

我當時才剛剛進電影公司，對於到底自己目前是演藝人員或是幕後工作人員的角色，還一知半解。

那齣劇的男主角是一個古裝上戰場會戴面具的男生，平常面貌姣好。

我聽說女主角已經決定是林依晨。

玉珊姊說要找我聊一聊，也沒有確定我是否就是男主角。

因為很久沒見面，她在多年後見面的現場，問了我很多問題，也就是我消失後到底去做了什麼。

我一股腦地解釋，我開了獨立音樂製作公司。

我自己能夠處理音樂版權、錄音器材、MV 拍攝、後期剪接、上字幕，還有去印刷廠印製、設計海報，甚至負責把歌曲上架 KTV 的所有談判，寫企畫案，我全部都會。

她當時一派輕鬆地聽著我眼睛金光閃閃，講出自己三頭六臂所有的功能。

她只問我：「那你有沒有自己看臺詞演一段戲，然後再檢查一下演得怎麼樣？」

我愣住：「我沒有。」

她說：「但我現在開拍一部戲劇，我只需要這個男主角會演戲，做好宣傳，這樣就好。你剛剛會的所有事情，我這裡有很多專業人士也會做啊！」

我回答：「因為我這幾年根本沒有思考到要接演出，所以不在我需要練習的範圍裡面。」

但這就是她需要的。

她點醒了我的三頭六臂，其實等於不夠專心地朝著一個方向前進。

那一天，我們的見面真的只是單純聊天了。

後來有很優秀的演員演出，這部戲劇播出後非常成功。

有趣的是再過了兩年，就是因為被玉珊姊鼓勵，我在工作上非常專心地處理各種任務。

兩年後的某一天，香港老闆隨意地問，臺灣最值得投資的影視項目是什麼？

我很具體的分析稟報：香港的製作環境跟導演非常擅長拍諜報電影、臥底間諜警匪動作片，但臺灣的校園青春、高富帥小資女愛情片，目前一定是華人區數一數二。

老闆問我：「臺灣有很多人做，誰是最好的？」

我思考了一下：「有很多有名的導演跟製作人，但是以累積作品來講，陳玉珊戲劇上檔成功的命中率，大概跟NBA 的柯比 · 布萊恩差不多。投資十個，起碼中了八個。」

於是我被任命跟玉珊姊的公司做合作交涉。

兩年後，不同的辦公室、一樣的兩人見面了，但這一次是帶著大隊人馬。

一樣的眼神，不同的對話。

我只記得那一天，大家都是用公司開會的方式對話，談論各種可能是公司入股或者是項目投資的事情。

那一天其實算是打個招呼，不會有結論。

但是會議結束後的晚上，我記得我去了西門町吃飯。

電話響起，玉珊姊打給我。

她說：「Toro，恭喜你，找不出名字的多功能機器，找到方向了。我們認識了多久？應該有十年吧？剛剛下午開會的你，應該是這十年來我認識最好的你。」

我聽完哭了。

她叫我加油。撐住。

我很感謝在那個時間點，有這樣的一個人對我說這樣的話。

幕後工作者

你可能很難想像，我跟你們看過的多少巨星相處工作過。

我在電影公司那幾年，第一年真的像是空降部隊。

我穿著西裝打領帶，其實是學著韓劇裡面的總裁打扮。

後來幕後工作的同事告訴我，他們的感想是，我根本就是一個明星在假裝演出幕後工作人員。

因為我還是喜歡用粉底遮蓋黑眼圈，還有把頭髮弄整齊。

我很低調的高調。

其實從小到大的明星生涯，或多或少影響我真實的人生。

我根本沒有被「社會化」過。

最後我在香港電影公司老闆的建議之下，把自己開的獨立音樂公司收起來，去他的影視娛樂集團上班學習。

第一年，我真的是薪水小偷，從頭到尾都在適應什麼是一位真正的幕後工作人員。

有一年的電影金馬獎頒獎典禮，我們大家都被分配一些工作。

我穿著西裝，染了一頭藍色的頭髮，又要假裝很刻意地迴避記者媒體。因為我覺得自己是一位幕後工作人員，

不要引起媒體注意比較好。

那一年，我們公司入圍了非常多的項目。包括劉青雲的最佳男主角獎、羅大佑的最佳原創電影歌曲獎。
我主動跟他們自我介紹，並且說明當天的工作流程。當然，其他人會比我說得更詳細。
我也是裝模作樣地學習著跟巨星解釋事情。

當天我還保留以前當偶像明星的感覺，我還等著其他工作人員告訴我要怎麼走。
沒想到，因為我真的是幕後工作人員，沒有人告訴我等一下行進方向要怎麼走，結果我們公司的車子全部到了第二現場，我還待在第一現場，不知道要怎麼出發。
那一刻我真的是糗大了，多虧羅大佑大哥領著我，讓我坐他的車子前往現場。
我猜羅大佑也搞不懂我到底心裡在想什麼。

在此謝過，華語樂壇神壇上的人。
這些人有的在我生命中匆匆來去，有的一直都在。
他們都是進化我、幫助我成長的養分。
我也期望自己能夠鼓勵更多人。
我必須說，專注在自己現在做的事情，能夠感染別人，幫助別人，真的很好。

一個值得感恩的日子

有些人跟你在生命中消耗了一輩子，並沒有跟你一起做到轉念這件事情。

我可以稱呼為這叫做徒勞無功的浪漫。

但有些人真的只是匆匆一瞥，也許這輩子只見過不到十次面，卻因為幾句關鍵的話轉變了你的一生。

那個人就是吳建豪 Vanness。

是的，就是那個四個人的偶像團體，也算是我們當年在市場上的另外一個對手團體的成員。

第一次見面是在新加坡機場。我們當時的聲勢很高，現場歡聲雷動。到哪裡都是幾百位歌迷接機，還需要出動警力維持秩序。

那是我們的第一次見面，當時我們是五個人全勝的團體，在機場回程的時候遇到了一個人形單影隻的吳建豪，背著一把吉他。

因為彼此都是團體出道，所以進到機場都會打招呼，只是我們跟著大隊人馬，他大概就只有帶著一個助理。

彼此客套的寒暄了一下。

再次見到這位仁兄大部分都是在夜店，大家出來玩，或者是在他自己開的製作公司不期而遇。

後來我們都有共同的朋友，但說真的，那些年見了幾次面，也不算是真的有單獨坐下來深談。

直到多年後，他很有名的，就是他信奉主耶穌。

大家看新聞，都覺得他也太投入了，一個流行歌手、偶像演員，已經快變成教會藝人。在當時的主流娛樂圈裡，會覺得有點稍微跑錯跑道。

就在那個時候，我也面臨到開始從幕前轉成幕後的事業。

我整天自命清高，不接受一大堆節目的邀請，覺得要當製作人，去處理別人的音樂事務。

那時候可能因為是偶像出身，大家覺得你就是一個帥哥，什麼都不會做，所以拚命逞強，表現出自己很會做事。

回頭看二十多歲尾巴的周杰倫，還有一堆韓國偶像，突然很想要留鬍子，讓自己變得成熟。我開始留鬍子。（反而是四十歲的時候，大家都在刮鬍子。）

那個時候其實我很徬徨，因為我做的幕後事業並沒有非常出色，不是說那種在主流娛樂圈的發光發熱，我本來就打算協助製作地下樂團。而是就算這個樂團在我的操

作下，也沒有在地下樂團裡面非常搶眼，而是不上不下。

然後，我那個時候也不知道自己到底算優秀的是做人，還是一個假裝做幕後的偶像。

也就是我很在意別人看我的眼光，然後我故意躲躲藏藏，假裝不是很在意。

就在真的非常困惑的時候，有一個唱 KTV 的邀約，我還記得是另外一個藝人藍鈞天約的。

一大堆人在 KTV 歡唱派對，飲酒作樂。

其實赴約去那個包廂裡的我，心事重重。

我看著對面那個已經見過很多次，卻沒有真的深談過的吳建豪。

不知道是天上哪裡掉下來的聲音，我告訴自己說，需要找他談一談。

也許是有股莫名的動力驅使，我走過去問他，「你要不要跟我聊一下，我有問題要問你。」

他非常瀟灑的說：「好啊，你要聊什麼？」

我誠懇地告訴他，我們都是偶像團體出身，後來都在選擇自己要走的道路，但是我覺得最近迷路了。

我的眼睛看著他，彷彿看著當時在新加坡機場形單影隻的他，已經知道自己該怎麼辦了。

每個人都想選擇活出自己的樣子，我請他分享是如何經歷這些事情。

其實他也不是我真的非常前面的前輩，但可能因為有些經歷相同，所以我只是想問一下。

這時候的他態度非常誠懇，雖然他沒有回答我的問題。

但他在吵鬧的 KTV 包廂，一隻手按住我的頭，一隻手握著我的手，開始幫我禱告。

禱告的內容不外乎就是：

親愛的神，親愛的天父，這裡有一位我們的兄弟 Toro，他在掌握他自己人生的道路上，現在很迷茫。

希望祢給他一條階梯，讓他通往向上的道路。

祢可以給他祝福，也可以給他責難，

在這條路上會給他困難跟阻擾，但是也要給他克服的勇氣……

依此類推，這樣的話不停地重複。

我當下只想說：我找你聊聊，我不是要你幫我禱告，我沒有要這些教會的事情。

我心裡開始覺得有點麻煩，但是他不停重複類似的禱告話語，並沒有停止。

我閉上眼睛，不過因為禱告太久了，還是會悄悄睜開眼睛，偷看一下旁邊。

這個時間真的很久，居然大家已經要買單離開了。

我猜這段禱告，大概過了快半個小時。

你想像得到一個人按著你的頭，握著你的手，跟你講話半個小時嗎？

我其實心裡覺得滿尷尬的，因為其他人陸續離開，也不想打擾我們。

到最後包廂裡只剩下藍鈞天，他把電視的螢幕關掉，並且把包廂裡的燈打開。

我睜開眼睛，可以清楚地看到吳建豪還在繼續為我禱告。

這個時候，我心裡一緊。

我覺得我好像發現了什麼？

好像上天要告訴我什麼。

這個時候，我心裡的聲音告訴我：這位跟你不熟的人，而且可能是競爭對手的人。因為你的開口，他就過來無條件地協助你。

其實不需要多麼了解你現在的處境、你所有發生的事情，他只是不斷地希望這個蒙福降在我身上。

我瞬間感覺到兩個字：謙卑。

我想不管在氣度上，還有心態上，都需要。

又隔了一陣子，我已經聽不到他對我說的禱告詞。

我一直以為我被催眠了。

但我張開眼睛，發現這個可能就叫做聖靈充滿。

我覺得有這個福氣，讓一個跟我沒有利益關係，也不需

要這樣坐著半個小時以上的人幫助我，多麼可貴。

我開始相信，就算後來的日子我跟他還是沒有很多的深談、很多的約會交集。但是他讓我心中開始有中心信仰和信念。

其實我是認真的，從家裡信仰的道教，轉成基督教。為何？

我們都是凡人，會來到這個世界，是來貢獻回饋的。

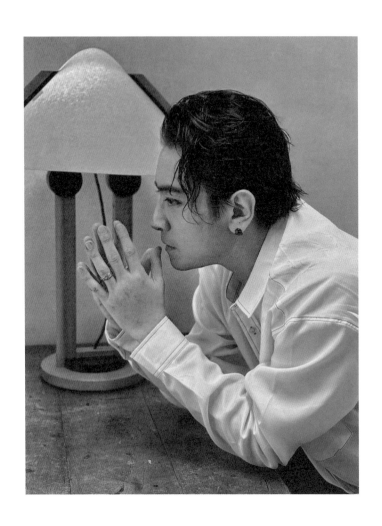

輯一　致青春

富有與貧窮

現在的你可能是十幾歲的少年，正在參加社團，你大概已經知道將來自己要做什麼樣的人；也可能你不知道。
相信我，你一定是不知道的。

現在的你在追尋的是什麼？

正在看時尚雜誌的你，可能是二、三十歲的努力家，你不是老闆，但你以後會想當個小小的老闆。相信我，你當上小老闆後，就回不去了，之後只能當大老闆。

你可能是四、五十歲的創業成功者。你常拿捏著擺盪於滿足和不滿足之間的心態，去思考下一個計畫。

我們的生命階梯只有向上、向下或待著不動，這幾種選項。

遙遠的烏拉圭，七十四歲的穆希卡在西元 2009 年以過半的得票率，當選了烏拉圭的總統。

擔任過游擊隊成員，出身在農村世家的穆希卡被左翼陣營推出參選時，曾一度拒絕，因為他覺得自己選上總統比教豬講人話還難。最後他以超高票當選了那一任總統。

穆希卡就任總統，拒絕入住政府提供的總統官邸，選擇

與妻子居於首都的一幢農舍中，平日只有兩名警員及一頭狗看守。他也拒絕了專車接送，自己每天開著以前的老金龜車上下班。

就在上任之後，他把月薪的九成捐給慈善機構。自己則與妻子繼續住在殘破的農舍之內。

他的身家結算後大概合新臺幣六百四十五萬，含一棟舊農舍和兩塊農地，兩輛 1987 年出產的福斯金龜車，兩輛拖拉機，和銀行裡不到二十萬美元的存款。

雖然一定有反面聲浪覺得他自恃清高，或太過矯情的節儉，媒體封他為「全球最窮總統」，但他卻是「拉丁美洲最受歡迎的總統」。

穆希卡說：「我不窮，說我窮的人才是真窮。說我只有幾樣東西也沒錯，但儉樸卻使我覺得非常富足。」

也因為他的清廉行為，讓其他講究排場的政客和官員尷尬。

這個窮總統具有極佳的國際形象，然而穆希卡解釋，稱他為「窮人」是因為現代人用錯誤的觀點理解何謂擁有財富。他說：「我並不是『最窮』的總統，『最窮』是那些還需要很多錢才能過日子的人，我的歷史孕育了我，有一陣子我能睡在一張舒服的床上已經非常的快樂。」

什麼是富有？什麼是貧窮？

當你身邊的人事物給予你不至於沉醉的安心舒適，你即富有；當你開心的事少於憂心的事，就是富有。

原來這一刻，我領悟到真正的富有，就是快樂。

就像電影《英雄》裡的一句話，講到練劍最高境界：

「手中無劍，心中亦無劍，便是不殺，那叫和平！」

找到自己的光

《王牌天神》（Bruce Almighty）電影裡，金凱瑞（Jim Carrey）遇到了黑人演員扮演的黑上帝摩根‧費里曼（Mogan Freeman）時，黑上帝讓對人生且對上帝的作為不滿的金‧凱瑞扮演上帝試試看。

有些連續劇也愛玩青蛙變王子，兩個長得很像但身分截然不同的人交換人生，最後得到彼此的體諒。

離開 Energy 前幾年的我，很想完成自己想要做的事。當時我待在一家偶像經紀公司，我的個性和作風與其他組歌手完全不同，但老闆採取統一式管理。我不喜歡當複製人，跟別人出風格很像的作品。於是我常用自己的立場和老闆辯駁。後來在大家勉強下完成了一張應付式的唱片發行，我賭氣衝去紐約待了一年，拖到合約到期才回臺灣。

兩年後，我自己開了一家公司，培養我喜歡的樂團。我從演出藝人變成了老闆，每天面對藝人訴求他要的東西，而我還在到處找錢，找專案配合。

輯一　致青春

那時十個會議有九個是浪費時間的,現在想想,不只浪費我的時間,也是浪費對方的時間。因為我沒有把所有人的立場搞懂,就開口講了一串關於我想做的計畫,眼神裡發著光,內容無懈可擊。

熱血青年總是以討好的樣子闖天下,只要是華人演藝界厲害的角色我大概都認識光了,超像無敵業務員。但是,結果什麼都沒有……

後來那家偶像公司的老闆和我碰面吃火鍋。他微笑地看著我說:「Toro,現在我們當一樣的角色對談了,其實很難吧!」

嗯!真的不簡單,後來我學著跟每個不同對象談事情時,不是先訴求我要什麼,而是確認對方和我都不要什麼,甚至等待對方提出要什麼的時機。無效的會議減少了,不能說每每成功,但十個會議只剩五個是浪費時間的機率大大提升。

用服務業的心態處理所有事情,讓自己不委屈,你會得到另一個層次的開心。呀比!

面對自己找到自己的光
面對自己找到自己的
面對自己找到
面對自己
面對

成功的條件

我們在面對成功這件事時，已經由外人的眼光定位了標準。什麼叫做得好，什麼叫做不好，其實很容易看懂。基本上，沒做好，找理由，是裡面最慘的一種。笨的，自己找理由；聰明的，會有人幫你緩頰，稱之「非戰之罪」。

我人生中遇過一些成功的人（對我來說，目前比我成功，但光憑運氣好的不算），他們具備了差不多的條件，在邁向目標前就準備好了這樣的人格。

我大致整理如下：

一、表達能力強，能完整說完一個有頭有尾的故事，穩重幽默兼具。

不論你要當老闆對下發號命令，或你是部下要對主管陳述事情，even 你是和客戶聯絡或與敵手攤牌，你自己的故事要掌握清楚。

如果你發現自己做不到，常講一件事有頭沒尾的，多和你的朋友吃飯聊天時想一個故事做練習。如果你沒有故事，善於沉默寡言，那除非你目前有權有勢，喊水會結

凍,不然你還是得利用溝通達成目標。

如果你沒有朋友,勸你不管如何交一個。

二、No fear,不要怕。

心虛與尊敬對方是兩件事,所有的電影小說、雜誌和漫畫,都創造了差不多的主角性格,潛移默化地教育你成功的路怎麼走,最後成功的結局大多都落在主角無畏的決定上。不要因為對方比你有錢有能力就不敢跟他接觸,或覺得不干你的事。

發掘你的能力!有錢有組織的人,最愛探索的就是他人的能力。如果你沒能力,那此段跳過,砍掉重練!

三、對你的目標路程相當熟悉,做足功課。

你今天打算成為一個成功的酒商之前,你會去認識所有已經成功的酒商。

你今天打算拍攝一部成功的電影,你會去看幾百部成功的電影,並了解每個導演經歷過的事情,然後找出你要拍的題材和組成的團隊。

這段話的意義是,就算死,你也知道自己怎麼死的。

四、聰明的投資:

西洋船堅炮利,蓋了華爾街後,網路時代來臨,有句經商的話常出現:「跟著大的走。」

輯一　致青春

假設你一個月有四萬塊的收入好了，食衣住行，不管怎麼省，你就是存不到錢。

不能賭博，那九輸。但你需要投資，如果你不懂什麼是股票的概念，你可能繼續慢慢等 4k 隔兩年變 5k。

五、不懂就問，當個好奇寶寶。

學生時代，老師說：「各位同學有沒有問題？」的時候，舉手的那個，現在去聯絡他，一半以上的機率現在過得還不錯。因為他比你更勇於解決自己遇到的問題，呼應我提到的第二點 No fear。

時間範疇是很重要的事，敢問問題，通常得到的不只答案，隨之而來還有更多資訊和知識。

六、不要報復，只建造新的事物。

時間不夠了，想想你已經幾歲了！十年磨一劍，一件事垮了，已經沒得救，你就去另外蓋地基，起新大樓，從上次的經驗中快速研究是結構鬆了還是建材不對，或是風水不好。別忙著踹那倒了的廢材兩腳，當你一肚子火，浪費時間在憤怒時，本來跟你一起蓋大樓的對面，已經是一個社區了……

七、多跟某方面值得你欣賞的人聊天。

在訓練完你能完整地說出一套故事後，找到與你不同領

域或同領域的前輩，和他談天，你會發現你省了幾萬到幾百萬的教材費，還有少走很多冤枉路。

八、打破上一點，不要怕走冤枉路。
那些路是你成為「前輩」的資格！

恨意

偶像劇裡女主角會對著那個高富帥大喊「我恨你」的時候，是因為還有著愛。

我是個崇尚快樂主義的人，因為快樂，人才得以活著。

我一生中恨過幾個人，但現在因為長大後心態改變，這種對我人生沒幫助的情緒自然減少了。

你會恨一個人有幾種可能：

1. 我辛辛苦苦弄好的計畫就因為你搞砸了，你還裝作跟你無關！

2. 你知道其實我一直在為你著想嗎？

3. 為什麼這件事跟說好的都不一樣？

4. 搞了半天，原來你是這樣的人！

5. 你明知道她是我馬子，你還是上她！

6. 我發生這些事，唯一沒有關心的人，就是你！

7. 可以不要再弄我了嗎？

8. 憑什麼我所有事都強過你，但你過得比我好？

以上幾種情況，一定有發生在你身上過。

或是你讓別人發生過，但你不自知。

輯一　致青春

負面的事情產生恨的理由，是因為前面有巨大期望或是信賴與愛之類的情緒。不然，你的感覺應該只會覺得瞎，不足以到「恨」。

你不自知是因為被怨恨的人不會痛苦，怨恨人的人整天活在復仇情緒裡，可能短暫的恨意能夠增加的是鬥志和動力。

我一度用恨意驅使自己往前進，去超越一些以前扳倒我的人。
但超過他們幾年後，像開車一樣，你超了幾部一直卡在你前面很煩的車，把他們甩到車尾燈都看不到後，才會留意車窗外的風景。

恨意帶來的動力是短暫的。
學歷、能力、人脈、思想、態度，累積了你的高度。
把自己弄到舒服的姿態，是現代人最該學習的課題。
我很信奉「服務」這個心態。凡是互相效力，搞懂立場，用互相服務的心去應對每個人事物。

凡事開心的起，不帶恨的結，往往是最好的結果。

生活在這個花花世界

我們要成為追求生活品質的人。

就常理來說，並不是有錢就代表生活品質高。

是不是吃路邊攤的米粉湯就代表生活品質差呢？

一個人過日子，一定輸給兩個人的生活嗎？

富公子一定比把不到妹的宅男快樂？

個性和天賦開發決定了一切，你可以樂活或痛苦的活，取決你看事情的角度。

在電影中，超人和蝙蝠俠能力差很多，一個可以繞地球飛、噴光線，一個只有飛鏢和帥車。

他們的級別懸殊非常大，但換回本人身分，一個是小記者，一個是億萬富豪。

無差別對付一樣的敵人，使命差不多，解決對大部分人有威脅的敵人。

在現實生活中你一定也有敵人，只是不像電影裡那麼絕對。或許你才是反派。

或許你也可以思考，如何扮演帥慘了的反派。

每個人都有對立方，你對立的是什麼？

哥告訴你！平衡自己在團隊的時間，和孤獨一人的時間

很重要。

你在孤獨時思考，你對你的團隊有什麼幫助；在團隊時思考孤獨時間能累積什麼，必須互相配合，保持平衡。

你的快樂和悲傷也是如此。像一部公式電影，在起承轉合上做好每件事的安排。

有智慧和知識的人，不會讓一件事只存在著快樂，但比例絕對過半。

道理人人都懂。很多事情不一定橫著看，可能直的看，你會發現不一樣的東西。

就像這篇我也不知道在說什麼是一樣的，可能換個角度看，才能了解。

跟你的工作、你的朋友關係和戀情一樣。

你去解決什麼，不一定能解決了什麼。冷靜一點。

說明白，在江湖上，遇事不要慌，讓子彈先飛一會，它不一定能打死你！

最重要的小事

────────●────────

上帝造人，吹了一口氣。你生小孩，也吐了一口大氣。
當你對繼承的後代有期許時，祖先和天地其實對你也有
所期許。
每個人生來都有一技之長，被分好大項目的專長。找到
自己的專長吧！
有些人很早就發現了自己的長處，懂得活用自己的天賦，
成就了自己的事業，同時活躍自己和身邊的人。

有些人一輩子搞不懂自己的優勢在哪，庸庸碌碌。靠著
「尋找」這件事前進。
最糟糕的是有些人「以為」已經找到自己的專長了，不
但活得尷尬，還牽拖其他人得認同他是專業的，活在假
象裡。
我們都會在這三種人裡徘徊，需要大智慧的開導。
在我三十歲的時候，我領悟了信仰的重要。
失去信仰，會失去帶領你的大智慧和大方向。
得到信仰，同時得到依偎、關心、開導，重點是「善」
的力量。

有了善為根，你得以不停建造，不停開創，擁有真正的信心，與理智的判斷。
你會明白仇恨、妒忌、貪婪這些情緒，帶來了對自己心靈與人生的傷害。

我並不是狂熱的宗教分子，我也還不到可以入定禪坐的心情，雖然有時我會想到瀑布底下被水灌頂，但始終沒有去做。
有些事，感覺真的是很小的事情。但你不去追尋，你便會失去「根」！
信仰是「根」，是一切正向的源頭。如果你還沒有信仰，請你找到一個。只要不是要你去炸大樓，做毒氣攻擊，或任何破壞性的宗教，都建議你有個內心的皈依。

愛你！

你想成為誰

老師說：「如果我是……開始作文。」

小民寫：「如果我是老師，我會請全班喝飲料，然後讓大家上課可以用手機，上網找資料，每天戶外教學帶同學去街上逛，了解學校沒教的事……」

小琪寫：「如果我是孫芸芸，我會找律師告那些整形整得跟我很像的女藝人還有模特兒，不然我問魔鏡誰是世界上最美麗的女人的時候，她會說出一大堆人的名字……」

小虎寫：「如果我是 NBA 紐約尼克隊的安東尼，因為我賺很多錢，我要僱用殺手把所有得分逼近我的選手都暗殺掉，讓我永遠保持得分王！」

小冰說：「如果我是世界首富，我要把武器都買下來，然後全部銷毀！世界和平，world peace!」

小呂說：「如果我是世界首富，我要把武器都買下來，然後威脅每個國家都聽我的，我要統治世界，哈哈哈！」

小明說：「如果我是老鼠，吱吱吱吱吱吱，吱吱吱吱！吱吱，吱吱吱吱吱吱吱吱吱吱……吱吱吱吱！吱吱！吱吱吱吱！」

輯一　致青春

小明得了最高分。

我曾經幫演藝經紀公司新人上課，是一個臭屁的小男生，
我問他：「你有沒有目標或是偶像？」
他說：「我想成為羅志祥！」
我請他現場表演一段唱跳歌舞給我看，他怯場地唱得扭
扭捏捏，跳得歪七扭八。
我再請他試著主持一段，假裝訪問我，他說他不會主持。
我跟他算了一組數字，臺灣的高中加大學熱舞社大概有
上百間，每間熱舞社都有幾個長得不錯的小帥哥也會唱
點歌，都覺得自己可以變成羅志祥。而臺灣只有這幾間
唱片公司，有的已經有羅志祥了，有的有潘瑋柏或吳建
豪。
我再問那個小男生，憑什麼唱片公司要投資你？
那天我當了個超級討人厭的人，我甚至說：「我不需要
記住你的名字，因為你的才能還沒有到我需要記住你的
必要。」我說，如果我看走眼，希望你可以過幾年在功
成名就的時候大聲咒罵我，覺得我是個瞎咖。因為那個
時候，表示你已經有可以罵人的條件和位置了。
我不知道這樣的激將法有沒有辦法幫助到他，我就是一
路被激過來的，這對我的幫助很大。下一回，我再告訴
你們激勵的好處。

如果你是……你會想成為誰？
為何不是讓別人想成為你呢？

優質人生

觀察周圍的人還有經常相處的朋友是什麼咖，是一門學問。

一般朋友混在一起，聊的常常是八卦，上司有多討厭，遇到的事多機車，賺取的是薪水，談論的是明天。
做生意的朋友在一起，聊的是可以一起做的項目會遇到的風險，賺到的是利潤，談論的是明年。
闖大事業的朋友在一起，聊的是別人看不到的機會、彼此的優勢，賺到的是財富，想到的是未來。
以上都融會貫通並能夠理解的朋友在一起，聊的是如何給予、互助，賺到的是一輩子的朋友，過的是幸福的人生。
但你情願當以上任何一個圈子的人，也都能得到該取得的快樂。
只要你知足，你不貪。

你常跟誰在一起，的確很重要。
跟著一群蜜蜂飛，你最後會找到花叢。

跟著一群蒼蠅混，你最後會找到一坨大便。

跟著一群無頭蒼蠅混，你連大便都沒有。

重點其實在於正能量。我從來不相信「失戀了要花三個月時間療傷，什麼事都不能做」這種鬼話。我的朋友群都是坐下來互相關心、心得交流，擁有各行業專長、積極計畫的人。我的生活中當然也有抱怨不斷、負面思考多過正面的人，老實說，他們連自己下一步或十年後的自己是什麼樣子都沒設計好。在我來看，這樣是可怕的。但其實要怎麼過也都可以啦。

我有個老友，現在是某唱片公司的最高層，他超不想當官的。以我對他的了解，他適合活在古代，當個騎老馬經過每間客棧都住下來，醉三天再往下一個旅程出發的吟遊詩人。

他現在還是好好地用他的人生哲學操作歌壇的天王天后。

他每天都說「我好不快樂」，但說不快樂，其實是他快樂的一種方式。他也算是個成功的人。

很多事情帶來的是刺激，不是快樂。

我花了十年的時間，從刺激的事裡面找快樂，總算整理了一些真正值得快樂的事。

優質的人生，伴隨的一定是健康和快樂。

你要懂得分析，能讓自己快樂的正面事項。

只有知足這件事，是我這個年紀不應該討論的。知足有一個理想的範圍和程度。

過度知足，你會缺乏鬥志和動力；不知足，你會因為貪念而毀了一切。

拿捏吧！捏得緊緊的，直到它充血！

我的太陽 o sole mio

當樂聲響起，宏亮的男高音唱著這樣銀光閃閃的句子：

Che bella cosa na jurnata' e sole
n' aria serena doppo na tempesta!
Pe' ll' aria fresca pare gia' na festa
好一片陽光，多麼燦爛輝煌，
當雨過天晴，天空格外晴朗。
永遠明亮，永遠明亮！

「怕滑落地」（帕華洛帝）這個義大利歌手，成為我們這個年代第一個認識的男高音歌手，或許你也看過山寨搞笑版的，但這幾句歌詞你一定耳熟能詳。

我大概是在十歲左右第一次聽到這首歌曲，是我愛聽歌劇的父親播放的。當時的我會覺得我父親在裝高雅，他國語歌只聽羅大佑、殷正洋，西洋樂就是這些聲樂家，包括阿瑪迪斯之類等。

我聽的是王傑、小虎隊。當時的我心裡想，我三、四十

歲時會聽什麼？

現在的我又聽到了這首歌。同時，我因為意外認識了羅大佑，對當時的我來說是件遙不可及的事。

我重新聽一遍他的專輯，去了解關於這首歌在那個時代的意義，抑或它持久性的意義。我驚覺到，代表時代的主流音樂產品變少了。

引起現在人共鳴的創作者在哪裡？

身為音樂人，我們活在這個時代的使命，似乎就是創造時代。

我很努力用文字證明我存在，謝謝網路，謝謝書籍，謝謝 Word 檔，謝謝你。

O sole mio! 明天溫柔或灰黯的太陽，仍然會擁抱創造自己生命與時代共存的你！

　　　　輯一　致青春

時間

我去了香港一趟，意外地看到了時尚雜誌裡面，全部都是手錶的廣告。

頓時發現，我有好多年沒戴手錶了。自從手機有了時間顯示的功能後，手錶在我生命中和大多數的人一樣消失了。

但是，為什麼鐘錶商公司還是有那麼多預算做廣告、請代言人？

到底手錶現在還賣不賣得出去？這是我的一大疑問。

因為時間，很多東西變得不一樣。

我也想過，當我們都在收發 email 時，郵局除了寄包裹、儲蓄之外，還能做什麼？

有的郵局已經把一、二樓的建築改成觀光旅館，產業再造。

當新的事物誕生時，舊的事物何去何從？

當打火機愈來愈多，火柴就愈來愈少，

當 iPod 愈來愈多，光碟就愈賣愈少，

輯一　致青春

當 FB 好友愈來愈多，見面的好朋友就愈來愈少。

當你有了小孩之後，關心老婆的時間就會愈來愈少。

時間造就了過程和故事，但取而代之的是舊的元素變少了。

我喜歡看第四臺重播幾百次的老片，讓我中午看到五十歲的劉德華，晚上還可以看到二十五歲的劉德華。

我很喜歡有溫度的東西，恆久不失溫的東西。

時間很有趣，它控制著感情的濃度。因為時間，感情可以變淡，但也可以變暖，自由選擇。

你還記得三年前手機最常通話的前三名對象嗎？

跟現在手機裡最常聯絡的前三名，是不是不一樣的人？

如果是，你不是固定在同一個生活圈，非常的好，就是你的人生沒有卡在這些人裡。

健康、運氣、財富、能力，每個人擁有的都不同，唯有時間是世界上每個人都公平擁有的。

你一天耽誤了多少時間在虛度光陰？

你一天利用了多少時間在打造未來？

跟上未來

所謂的時尚家、流行教主，也可以稱之為未來觀察者。
他們會先想辦法在領域裡壯大自己的聲勢，然後融合新
與舊的觀念，創造眾人還沒看過的事物，這是流行。
我喜歡看老電影，也就是二十年前拍的科幻電影。
想像當時的人怎麼想像未來的畫面，而你正在印證是不
是這樣。

1989 年羅勃‧辛密克斯（Robert Zemeckis）編劇導演
的《回到未來2》(Back to the Future Part II)電影裡面，
當時表現的未來是西元 2015 年，銀色是主色，似乎未
來感一定要這樣。氣墊鞋可以跳很高，而車子都在空中
飛。當時才小學二年級的我看得目瞪口呆，這就是我腦
海裡的未來。
我在成長過程中一直想著車子可以在空中飛這件事。直
到西元 2013 年，當我發現臺北連捷運都還沒蓋完，我就
知道只剩兩年，車子應該不會在空中飛了，而你的摩托
車還在加 95 無鉛。
不過，我不失望，人生總會找到另一個方向。1956 年

菲利普·狄克（Philip K. Dick）這位有名的科幻小說家，除了寫出哈里遜·福特（Harrison Ford）演出的《銀翼殺手》（Blade Runner）這部逼片原著外，在另一部 2002 年改編的電影《關鍵報告》（The Minorlty Report）裡，湯姆·克魯斯（Tom Cruise）在電影中操作儀器時用手將光觸面板滑來滑去，成為一個特效噱頭。酷到被剪成預告，酷到隔年我拍攝的音樂錄影帶《退魔錄》，都效仿這個特效，對著綠色特效 Key 板滑來滑去，而導演喊卡後，我繼續玩《貪食蛇》之類的遊戲，看看簡訊。沒料到，事隔多年，我正在用手機上網看比新聞臺更快發布的新聞影片，轉發 Email 夾帶這篇文章。隔壁老王正用手機上傳窮極無聊的照片到亂加好友的臉書給大家看，旁邊那個嬰兒竟然第一個會的不是叫爸爸，而是兩根小手指在 iPad 上滑來滑去，放大再放大。

有些東西超速的前進著，而有些東西正在慢慢來，你無法控制。就像你的感情，你的業績，你的效率。但因為我們被規範著，只能努力控制。

玩搖滾的 Rocker 愛用一把吉他拯救世界，一直努力在歌詞和影像裡散播自由解放意志，很酷。但那是因為他放下吉他的其他時間，必須面對這個他不喜歡的體制和世界。

最後分享我很慢才跟上的一部美國影集《陰屍路》（The Walkin Dead），這是一部超 Rock 的片子。

當世界崩壞只剩活屍時，你們這一群人要做什麼？努力升官嗎？沒有公司可以讓你上班了。有人懷孕了，小孩生下來要幹麼？叫他用功讀書以後成為棟梁嗎？沒有學校讓你用功了。

每個角色有每個角色的想法，沒有對或錯，我盡量不劇透。總之，片子還是闡述尋求希望這件事。

就算世界崩壞，地球上總會有一個還可能活著的科學家，躲在一個很難找的地方，正在發明整件事的解藥吧？因為有這個概念，所以故事角色們還是繼續走，會走幾季不知道，我樂在其中的看。

我們還在往前走，創造新的創意，創造新的流行，因為我們架構的世界希望我們更好，所以我還在這裡寫字給你看！

家人

男女因為身體的交合，之後孕育出下一代。不管是愛或不是愛，有了我們，他們稱之為父母。

他們會是我們口頭上最愛的，也是我們最保護的人。

問問你自己，世界上你說謊次數最多的對象是誰？答案一定你的父母或伴侶。

因為你在乎，因為你不想讓他們擔心，因為你希望在他們眼裡你是好的。

所以出自於善意的謊言，他們全都得收。

你會說你菸抽的少了，你會說你的工作被別人弄到很慘，但你一定解決得了。你會說你一直有在運動……

你口口聲聲說愛他們的同時，他們的生活很煩，轉貼一堆勵志人生小語給你的同時，有想過你不在時他們在幹麼嗎？

你不在家時，他們晚餐是熱中午的剩菜，省下來的錢是給你的。

但你久久回一次家，他們一定準備一桌好料的，讓你認為他們平常都吃得很好。

你不在家時，他們會去你的房間看看那些相簿裡的照片，

說你小時候有多可愛。

像我爸爸就會去睡我的床，因為他想我。即使我回家時會一腳把他踹回自己的房間。

你久久回一次家，父母親會把這些日子打算念你的分量，一次說完，很煩。他們總是覺得你做得不夠好，但隨著時間過去，咒罵和鼓勵的比例會漸漸改變。

你不在家時，他們會和常來家裡見不到你的叔叔阿姨說你多棒，很忙，都很晚才能回到家。

你在家時，他們已經睡了。你去吵醒他們，想和他們說說話，講最近發生的事，他們會嫌吵，不希望你打擾他們的作息，其實只是希望你也早點休息。

你是他們永遠需要照顧的小孩，即使你的收入可能已經比他們高。

你看不起他們某些傳統的觀念，因為你已經在用網路了解最新的資訊時，他們還在看電視播出的慢半拍新聞。

他們開始用臉書，第一個加的好友就是你。他們也沒加什麼朋友，因為光看你 Po 的動態就夠了。

當你以自己或一個女孩為世界中心點向前衝刺時，他們也以你為世界中心點等待，但你看不到他們的存在。

他們在你從牛仔褲改穿西裝褲時，默默從近視眼鏡換成了老花眼鏡。他們也在慢慢體會步入老年的姿態。

他們創造過自己的故事，正期待著你的故事。

導演！你願不願意重視他們在人生劇本中的角色，決定權在你了。

愛的公式

現在 2024 年已經來到全球 80 億人口，如果把男女均分各 40 億，按照規定和常理的一人愛一人，也就是我愛你，你也愛我。

那麼，與「愛」這件事同一時間並存的，是不是就是 40 億份？

很可惜，有些人會愛很多人，也有些人受過傷，再也不愛了。

有些男人愛上男人，女人愛上女人，於是在人類荒謬的處理之下，人口數字很好估計，但愛這件事卻無從計算起。

很多電影、小說都在解釋愛是最難的計算公式。

其實不是無跡可尋。

我身邊的例子大多是（相信你也有過），一對交往多年的伴侶，在分手後不到一兩年，就有人跟認識不到兩年的新對象結婚了。為什麼？

因為你在上一段拉扯捆綁的愛情中，已經懂得你要的是什麼了。

多年來，你們可能試著磨合成為理想的另一半；為了對方，你改變自己；為了你，對方也改變了自己，你們兩個愈來愈像，有吵有愛。

臨界點一過，這個終點到了。

你會發現，這段長跑的愛情結束後，你改變不了對方。對方永遠離你要的那個樣子還有一段距離，你真正改變的，是你自己。而你已經清楚之後要的是什麼，才有那樣的覺悟。這種情感不只建立在情侶上，也建築在多年知心好友或合作伙伴身上。

因為關心，所以會產生抱怨和憤怒。情緒是要時間消化的。當愛來的時候，你可以強烈感受到；當愛走的時候，總是不知不覺。

你以為你是有愛的，但對方可能已經感受不到了。

丹麥導演拉斯馮提爾（Lars Von Trier）在 2013 年拍了一部驚人的電影《性愛成癮的女人》，讓變形金剛男主角大露生殖器官，整部片五小時在講一個女孩如何正常交往，找尋炮友，在不倫關係循環中找尋自我。

片中一句臺詞很經典：「愛只是加上嫉妒的性慾。」（Love was just lust with jealousy added.）這段話我常和朋友討論，片中女主角定義男友和炮友關係不同，在於炮友不會管你今晚幾點回家、昨天不接電話是跟誰在幹麼等瑣碎的事情。

當然，這是很悲觀的想法，因為少了愛這件事。

我們為愛而生，我們用愛滋潤自己，灌溉別人。

請珍惜在你生命中的每一個過客，他們都是完成你生命故事的角色。

不要悲觀的變厲害

中樂透之前，他是一個大型設計公司的小職員，週一到週五準時上班，早上進公司用電腦看 YouTube 影片打發時間，然後跟主管說在找素材。中午吃飯喝茶抽菸混過一個小時，下午再努力上網找美味的餐廳，晚上帶女友去吃好料。週末週日再去看電影、遊山玩水，以上生活模式形成了他的一週。對他來說這工作算是爽差，每天過得平淡、開開心心的，一個月月薪有三、四萬也算夠用。

中了樂透二獎之後，身上有了幾百萬，不算多也不算少的數目，他沒有亂花。為了維持低調，他花了一些時間，脫離原本的大公司，假裝找到金主，自己掏錢成立了一間屬於自己的公司，養了幾個員工。

當了老闆後，現在他最忙的事是盯著底下的員工，會不會早上一進公司就開始看 YouTube，中午去哪鬼混；下午會不會只顧著上網找吃的。他不是很開心，因為他希望公司變得更大，但是目前沒有更大，這樂透並沒有很樂透。

蜘蛛人在電影第三集參悟到「能力愈強、責任愈大」這件事，但這其實不關他的事，如果他當初沒有被咬，可能會是個開心的好記者。但也因為運氣好，咬他的是蜘蛛，不是隻豬，不然那衣服怎麼設計都很難帥氣起來。而他這輩子可能沒想過要當豬豬人，既然當了，他還是得硬著頭皮打綠惡魔、沙人還有八爪博士，其實他也許只想在下面當圍觀群眾拍拍照。畢竟他根性是軟弱的，是溫和的。

小學、中學、高中、大學、碩士、博士，士兵、士官、軍官、將軍、統領，職員、主管、部長、總監、執行長，小模、通告咖、演員、歌手、天王，是誰設定這個規則，我們的一生被這個套著走，人生的一半被困在這個階梯裡。有人天賦異稟跳著走，有人最後停在一個階段不動很久，找不到往上一層的道路。

前幾年，我開了自己的工作室，簽下一組樂風剽悍的獨立樂團，團名狼。他們那時在音樂圈的山底往上爬，爬到半路遇到我，我說：「我去過山頂，看過很厲害的景色，我要帶你們上去看看最高處的樣子！」
於是我成了他們的經紀人。
一年後，很多事情都難以預料。我們窩在工業區的一角，那晚下著雨，我們做出了一堆很新但沒有人投資的音樂，對我們而言，卻是無價的。

輯一　致青春

我們都想著，怎麼還沒到山頂？

Toro，你不是去過嗎？

我淡定地說：「幾年沒上去，上山的路好像改了，而且之前我也是被人帶上去的，沒有自己帶人走過。不然，我們在這山腰的涼亭休息一下好了。」

他們安慰地說：「其實半山腰的風景也不差！」

我熱淚盈眶。

那一年，他們在地下樂團界闖出了名號，所有音樂季都在重點或壓軸時間演出，也舉辦了自己的演唱會。我在後臺看著這半山腰的風景，其實真的不賴，雖然我知道自己找不到帶他們上去的路了。

保護人的人，被保護的人，你想當哪一個？

你愛勇闖天關，還是安逸樂活？

在這個時代，書籍、漫畫、電影、雜誌還有長輩，不停告訴我們要不斷更厲害，真的這麼做了，就請不要悲觀放棄。

當你抱持樂觀的心時，你已經很厲害了！

生存遊戲

我們總在工作上遇到自主權的問題，比爾・蓋茲（Bill Gates）有個拿來洗腦員工的理論，當你身為員工要往上鑽時，聽聽有何不對？

我列舉幾個重點：

一、社會充滿不公平現象。你先不要想去改造它，只能先適應它。

二、世界不會在意你的自尊，人們看的只是你的成就。在你沒有成就以前，切勿過分強調自尊。

三、你只是中學畢業，通常不會成為 CEO，直到你把 CEO 職位拿到手為止。

四、在學校，老師會幫助你學習，公司卻不會。如果你認為學校的老師要求很嚴格，那是你還沒有進入公司工作。因為，如果公司對你不嚴厲，你就要失業了。

五、人們都喜歡看電視劇，但你不要看，那並不是你的生活。只要在公司工作，你是無暇看電視劇的。

關於一：除非你的能力能改變一些現狀，不然你只會變成酸民。

關於二：自尊在最親密的人面前擁有就好，因為你的放

下，他看得懂為什麼。

關於三：當你的名字叫郭台銘或周杰倫，誰管你哪裡畢業。

關於四：你要自己補習，直到你可以幫人補習。

關於五：你要寫自己的劇本。

我們都是自己的老闆，別人的員工。

做自己的老闆，也尊重自己的工作。

這樣的你，很酷。

輯一　致青春

主流次文化

我小時候沒有接觸那麼多地下文化，直到加入舞團在街邊打滾了一陣子。

二十七歲時不知天高地厚，成立了公司，也替獨立樂團發片。

當時我和他們初見面聊天，都在想怎麼鬼扯國際音樂觀和國內樂團市場。

不到一個小時，大家都在聊周星馳喜劇的笑哏，喜歡的是動漫電玩。

就算他們表現的形象和創作的歌詞那麼反資本社會、專制主義。

前一陣子和潮流圈幾個龍頭的媒體創辦人和主編聊天，共同理解的竟然是《航海王》的劇情，多過於對媒體雜誌上一期的內容。

不談潮牌興衰勝敗、通路趨勢，聊的是頂上對決和人魚島，趕不上進度的人被劇透火拳艾斯的果實還存在之類的話。

輯一　致青春

主流文化率領著次文化的前進。這很恐怖。

鄭伊健在 1995 年穿著一身黑，穿皮鞋不穿襪，留著長髮和穿著開領襯衫，一度所有年輕的角頭小老大都做這樣的打扮。

《灌籃高手》這本漫畫刺激了亞洲青少年，不是要當三井壽就是流川楓。他們上課偷看漫畫連載進度，下課就拚命打籃球。

少男們主持的《模范棒棒堂》節目播映時，所有人留的剪層次劉海造型，一度讓你逛進西門町，以為全部青少年都給同一個設計師做造型。

其實這些主流文化都是不經意而來的。有目的性的操作，反而不容易得到共鳴。

像網路的宅男女神絕對不是傳統媒體操作得出來，而是網友鄉民的自由意識產物。

我們活在被主流文化和次文化包圍的時代，其實很享受。

不帶遺憾的回歸

從某一年開始，我戒斷所有網路社交媒體，變成一個沒有社群的人，甚至放棄了 Toro 這個藝名。

我用了一些不同的筆名創作。十八年之後，Energy 成軍二十週年那天，我才發了一段文字影片，而我非常相信文字力量的轉念。

那一天，我拿回 Toro 這個名字。

嗯，牛奶看到了。

嗯，他找了坤達建立群組。

我們見面了。

帶著不同的人生歷練見面了。

我只記得那一天，我問一位開餐廳的朋友：「你們餐廳包場多少錢？」

他只回答：「你幾個人？」

我回答：「五個。」

他就說：「五個人給你一個大桌子就好。」

我眼神裡泛著光，堅定的說：「我們五個。」

這句話不知道有多麼強大的力量。

朋友說：「喔～天啊！明白了，是你們五個。」

對！是我們五個。

那天晚上在餐廳裡，我們把話都說開了。
很多事情也若有似無的，有了一些答案。

那天聚會結束之前，就算只是在一家餐廳，我們五個人把手放在一起，很像演唱會開場前的互相加油打氣。即使當天的我們還不知道未來要繼續做什麼。

那天在餐廳，我們五個把手放在一起。其實那張照片裡有六隻手，那是我把另外一隻手伸出來，扣住大家。
「我希望無論如何，這五隻手不要再分開。」

當天的合照上了很多新聞版面，很多朋友都很訝異的說：
「你們居然合體了。」
我印象深刻的是有個朋友告訴我，那張合照他看到的不是 EG，而是不帶著遺憾走進棺材的五個人。

在臉書上，有個粉絲留言：「我好慶幸我還活著，有生之年可以看到你們合體。」
你們等了二十年，我也等了二十年。

重返光榮的舞臺

2023.04.02，我們站上了六、七萬觀眾的舞臺，其實真的是因為五月天怪獸十八年前跟我說的一句話。
他覺得我們很可惜，五月天他們去過世界各地是一起的，Energy 可能也去過世界各地，是分開的。

只要人生沒有按下終止鍵，似乎還有機會更新更多檔案。

我記得那一天，身為朋友的我去看五月天的演唱會，隨口一句：「我們現在有群組了」，五月天很熱情地邀請我們演出。當下的我們對於合體演出其實是措手不及的。

我覺得我很勇敢，扛下了統籌的角色，對接所有工作團隊，包括髮型、攝影、化妝、舞者交通、行政、保險、工作證……一大堆瑣事，這些小時候我不擅長，但是現在很在行的事情。

我們大家有了完善的溝通，如果說這個表演要怎麼做，就是不帶遺憾的去做。

阿弟比以前還會唱，坤達這幾年還有舞臺表演，我們其他三個其實對站在舞臺上已經非常陌生。

來來回回討論了一番，本來有很多要表演的歌曲，最後我找到一首五月天的〈有些事現在不做　一輩子都不會做了〉，燃起了心裡的火種。

整裝綵排的過程我已經不太記得，因為真的很忙。除了忙自己公司本來的行程之外，我發現我很有熱情，整個人完全投入前置作業。

演出當天，當我們穿戴整齊的時候，所有的疑慮突然之間都煙消雲散了。

我記得在演出前的那一刻，我問幫我們拍攝的導演：

「這幾個月，你身為第三方的觀察，你覺得我們是什麼關係？」

導演覺得我們不像朋友。我又追問這個導演，到底是什麼？

導演說：「你們是 Energy。」

突破黑暗，但也不見得光明

我是個極其樂觀又極其悲觀的人，經歷了二十年前黑暗的一天，我們在二十年後又聚會了，而且重新登上了一次舞臺。

真的是可以不用把遺憾帶進棺材了。

那個時候拍攝著紀錄影像，攝影師在我們跟五月天一起表演前問：「未來會不會持續這個夢想？」

我們大部分的答案都是否定的。希望把這一次跟五月天的表演當作最後一次。

還記得那一天，我們跟五月天表演完的一個月後，終於有五個人聚在一起的時間，吃了韓國烤肉。

我們訂了一個包廂，也讓攝影師過來做拍攝結論的感想。

攝影師問：「上個月你們給了華語樂壇一個震撼彈，一個充滿夢幻的夜晚。請問這個夢幻是會繼續航行？還是就是那一個晚上而已？」

我們五個人，你看我、我看你。

從那個晚上開始，我們大家好像有點被命運牽著走，接下來的發展也許是一張唱片、一場演唱會、一個綜藝節目，或者是開一間餐廳，就算是五個人坐下來吃個飯，也叫做讓 Energy 繼續前進。

***

我曾經在人生最動盪時期，因為精神壓力過大，倒下了。罹患類似精神解離症，讓我產生奇怪的幻覺，併發類似癲癇症狀，會失去部分記憶，有點像是夢遊了一段時間。

檢查過程中，醫師曾經告訴我，我就像是個小動物。
或許是年紀太輕出道，加上歷經分裂糾紛、各種的壓力，在那一刻，本來有自信、熱情開朗的我，像是小動物在森林裡遇到不可控的巨大壓力。這時候，另外一個人格就會跑出來，保護我原本很有把握的人格。所以我會失去記憶、大吼大叫或是囈語、抽搐，另一個人格則試圖停止這個外在的壓迫，這就是創傷後壓力症候群引起的類解離人格吧。
我得治療自己，就是面對創傷，然後治療它。
身旁的人看到我的症狀，有著不同的解讀。有些人很為我心疼，當然也有努力消化、試圖理解的人。這些心情我都能夠體會。

輯一　致青春

多年過去，我放下了很多事。我的故事太多，成就不多。也許我花了太多時間在「感受」，這樣的藝術家性格是好是壞，沒有答案。

或許，我只想讓這個世界懂我，想用最溫柔的方式去面對世界。

我想，只要起心動念維持「偏向善意」，或許曾經的傷，也能成為未來的藥。

在書中寫下這段心路歷程，其實經歷了一段修修改改的掙扎。但是，我想讓願意理解我的人知道，我本來就是樂觀與焦慮並存，一直在跟自己的心理作戰的平凡人。

我曾經感到焦慮，是不是只要讓全世界的人知道我是個快樂的 Toro 就好？

人生最重要的課題是「選擇」。這次，我選擇戰勝自己。我想讓理解我的人知道，就算我一直在跟負面的自己作戰，仍然選擇用簡單、樂觀、真心的態度去生活。

這就是我，寫出來也不會改變世界上各種人對我的看法。但我渴望被理解，渴望被愛。而我也希望帶著祝福，去面對未來！

電影散場前，我們彼此相愛

對於愛的定義，我覺得在我心中是價值觀的平衡。

古代人一生只娶一個妻子，那是因為他們沒有臉書社群和交友軟體可以往右滑。

我也沒有用社群，所以可以把我當成古代人類。

我相遇的每段戀情，都是直接接觸本人，沒有因為在網路上看了對方什麼文章，或是聽別人說發生過什麼事在這個人身上，用別人的評斷去認識一個人。

我不會「標籤化」一個人。

比如說剛開始認識某個人的時候，可能是朋友的朋友介紹，現代人通常都不會講好話，除非是女生在推銷自己的姊妹，不然通常聽到的都是「你知道這個人有多糟糕嗎？她以前做過什麼……」或是「你知道她前男友是誰嗎？」「她平常對人很機車。」

我第一個反應都是心想：「那是因為針對你，或者是針對某些事件。但這個人我剛開始認識，對我不見得會是這樣子。」

於是我反而會好奇地去探索認識這個人。

如果用人格分類，我就是探索者。

然後開始相愛了，就是雙方都要一起學習更好。一種歸屬平靜而溫暖的陪伴。

有句話說得很好：「好的愛情是你透過一個人看到整個世界，壞的愛情是你為了一個人捨棄世界。」

以我的年紀來說，現在的生活圈有很多丈夫跟父親，這些人在我小時候就已經認識了。

有的人原本是火爆浪子，有的人傻呼呼的跟隨，一切聽命。

但歷經時間的沖刷，我再次跟這些角色相處的時候，火爆浪子還是會有可以點燃的引信，但爆點低了，因為可能會有在乎的人是防火栓。

傻呼呼的傢伙也會因為有了老婆而變成一家之主，需要做決定，成為計劃者。

而我呢？

四十歲的我在學習變笨，享受生命給予的訊號，旁邊的人要陪我經歷這一切。

因為三十歲的我，所有努力跟計劃都是以自我為中心，假裝為了旁邊那個人，其實回想起來是半個「情緒勒索」。

每個人看待感情的角度不一樣。

在我自己的世界裡，我覺得談每一段感情就像是看一場電影。

有的電影是喜劇，有的電影純粹就是愛情電影，
有些你以為本來是喜劇，最後發現是恐怖片。
有些你一開始期望值很高，結果發現是一部爛片。
無論如何，都會有新的開場，都會有新的覺悟，也都是
成長的養分。

我曾經交往過的一個女生很特別，她會想認識我所有前
女友，甚至希望把她們約一桌吃飯。
我當時認為這是在做什麼？是要挑釁什麼？
後來這個女生告訴我，她是想感謝她們。
我直接說：「用『們』這個字，是在虧嗎？」
但這個女生的起心動念，讓我有點驚訝。因為她說，她
很喜歡現在的我，而眼前的我是經歷過一次一次的戀情
挫折反省修正的結果，所以那些女生都是我的人生導師。
我覺得這個答案很棒，非常正能量，心態實在是太健康
了。
不過，我還是跟這個女生說：「這只是妳一廂情願的想
法，其他人不見得會買妳這個單。」
不要亂約。別人的起心動念不見得是你的起心動念。
每個階段的我都很喜歡共感，意思就是我其實滿在乎旁
邊的人感受，這個部分，我已經拿掉了情緒勒索。
比如去一個遊樂園，我會在乎對方是不是真的玩得開心。
比如我看過的電影，我覺得很好看，但對方沒看過，我

會跟她一起二刷。

二刷有你參與的人生，我才完整。

等等，偏題了。

總而言之，寫這本書的當下，我還沒想要走進大家認定的婚姻裡，擁有一直走到人生終點的旅伴。

或許多點幸運，我多充實我自己。

搞不好我一輩子不結婚；也搞不好，我下一秒就決定去做。

現在的我，還在修行。

我知道這本書裡已經有很多歌詞了，但是我還是想放首詞在這段文章裡面。

以下就是我目前安逸的渴望。

完美人生　　詞：Toro 郭葦昀

V

眼前黑色的清晨

其實不是你要的

試千刀萬剮一身

像豬一樣笨

拿掉身分與資格
不想弄髒的靈魂
激將寬容並存
沒人懂誰亂了

Pre-C
於是就微笑學會了
把所有快樂收藏著
一婆娑的生活　只不過幾十個年頭
記錄什麼　答案快參透

C
要撐著填那正確的表格
到盡頭醒著自我折磨
在選擇中被善惡總和
這不完美的人生

我想要租個更好的軀殼
讓自己更貴　被珍惜著
眼前不會一直是綠燈
這不完美卻精彩的人生

Pre-C

於是都咬著熬過了

時間刪去那幾種人設

曾墜落的關頭　回頭看風景很透

誰都很痛　但答案總變動

C

這宇宙本來就只是黑的

太陽燃燒自己持續亮著

在選擇中被善惡總和

這不完美的人生

我想要租個更好的軀殼

讓自己更貴　被珍惜著

眼前不會一直是綠燈

這不完美卻精彩

B

怎麼做才算夠　也想成就

世界雙標　慈善　機構

穿越另一個　平行　宇宙

別個我　還在修　還會痛

C
開口不再情緒勒索的人
有個你拋橄欖枝在等
風停雨後撥開的餘生
不需完美的人生

這些悲歡離合沖刷的城
翻篇後寫的字字入本
學會很多　這好事多折
完美人生　你和我　在這

VOL

2

輯二 我是詞人
TORO

銀色馬戲

銀色的狗在遊樂園旋轉
我在對岸看到童年的自己
跌坐在石磚路邊哭泣
走上前去的人
伸出一雙大大的眼
是妳

鞭炮聲走過
我們牽著手嬉戲
電影院裡頭
海水　鄉民　卻突然漲起
妳探了探頭
說了聲對不起
在晴朗的天空深處
遇見長大後的自己

妳還是妳

我追隨許久，匆匆的妳

我告訴自己那不是妳

矗立在網路光線裡面

暗夜舉辦的假面舞會

我在門口排著隊，企盼妳出現

緊握著剛買到的門票

一路狂奔如昔，卻再也見不到妳

你就是我，我，也是妳

星探

我在世界大戰的炮火中，發現了瑪麗蓮夢露

讓紅唇和白泡裙風靡子弟兵

我在泥土和壘包中的大和帝國，看見了少男們

讓亮片直排輪與爵士舞，閃亮日本少年的未來

所有女孩和同志都愛瘦到剩皮包骨的歌舞男孩

我在華語最強時代的臺灣

陽臺上看到的鄰家女孩，輕吹一聲，她就叫平民天后

妙妙了幾年

終於，我的名字改了，以前他們叫我星探

現在，他們叫我網友

限時專送

忽然週末

碩大的車站裡

一盞盞黃褐色的光線

投射在橫七豎八的老皮箱上

一件半張嘴的包裹

被繫著思念的尼龍繩綑綁著

無法自主

而潮濕的水氣模糊了收件的地址

只有那一籤限時標記

被急切的心情逼得喘不過氣

內容物：心　悸　溫　情　愛

　　　　　輯二　我是詞人

懷才

我將一顆石投入湖心

泛不泛得起漪漣

默默的湖底

黑了　用我最擅長的畫筆

吟唱這一世紀

最快被忘記的一首歌

沒有伏筆　亂了旋律

歷史　總被馬車輪快速的輾

洪流沖散了所謂流行以後

還有我

遊　留

而不壞的風　又能吹多久

當百年以後

當音符不再那麼肆意的穿梭

當這件事情被重新探索

當伴侶都是一對一漫遊

當人們回到雙腳行走

也許我……

風箏

是一隻孤傲的鷹嗎

抑或嚮往自由的小麻雀

翅膀總是開到了最寬最敞

在天邊雲朵最豐腴的地方

昊著溫熱的陽飛翔

只是

脖子怎被地面渺小的人們栓紮

也許　是一場與天空進行的拔河比賽吧

不過　誰輸誰贏

都

無　關　痛　癢

孩子

包著肉身的天使

來到了這個世界

漂的清白的白紙

來到了這個色彩房

我們開始用不同品質的水

來沖刷他們的身體

為他們穿上花色的衣服

我們開始用不同顏色的染料

來繪出他們的圖樣

為他們釘上不同的畫框

一個個的天使　變成了士農工商

一張張的白紙　變成了七彩繽紛的藝術品

我們　我們　在包裝什麼

他們　他們　想要的是什麼

旅程

拿起了　一張車票

拿起了紀錄

黑筆頭　白絹紙記錄了

起站　單純

經過　夢想　勇氣　合作　巔峰　歡愉

在　信任　轉車

再經　波折　猜忌　分裂　背叛　重生終站

視訊

我看到了你坐的那張紅色椅子　你知道嗎　我看見了你

我也看到了你牆上的海報　代表你嚮往海洋的海報

是的　我也看到了你睡飽後摺得好好的暖暖棉被

還有你枕頭邊的棕色小熊

對　那個可以被你抱著睡覺的熊

桌上攤著你昨天沒看完的那本書

我可以觀察到你指間旋轉的筆　因為延遲而轉成了一圈殘影

一圈又一圈

沒有眼睛的你　只用鼻子和嘴巴看我

當然　我也打開了那扇門

你可以看見讓我坐到發麻的那張椅子

還有身後連著我影子那面牆壁上的空洞

沒有錯　旁邊皺皺一團的　正是我還沒有摺的棉被

你也看到了我菸灰缸上轉的煙

一圈又一圈

你

只看見了我的眼睛

但

你

看得見我的心嗎

但你看不見真的我

可樂

黑色的靈魂包著一張蒼白的外皮

對立

看似應該不安的五官卻意外的冷靜

衝擊

三十五條手心線刻著不屬於三十五的號碼

在虛擬的一切　試著找一點點真實存在的空間

想用一滴墨水染黑白色的全世界

因為他認為世界是黑的

在夜與夜的交接處低聲

叫出最安靜的狂吼

企圖殺死白天

Silence

荒木

荒　白金之星

木　　紅色魔法師

飛　　綠色法皇

呂　　銀色戰車

彥　　　紫之隱者

監牢

一條條黑色橫木條排成了地板
空氣濾靜器按了靜音但還在呼呼地響著
垂著頭的檯燈用黃色的眼睛看著我正在看的書
我的枕頭黏著我的臉告訴我　我是個被社會放逐的囚犯

是我被困在這小小乳白色的牆壁和天花板裡嗎
不　應該是我關住了這個世界
我有一臺三十二吋的液晶螢幕和 Cable 線
還有十七吋的蘋果電腦和無線寬頻
我關了世界　像看動物園一樣的看他們

故事書

小孩

聽　那些小小的聲音

是從那本灰灰厚厚的書裡發出來的

皮製的封面燙滾了金銅色的外框

書皮的字被蠟燭的光映得一閃一閃

想知道發生什麼事情嗎

快

用你那一雙好奇的手　悄悄又迅速地翻開書的頁面吧

糟糕　故事角色們都還沒準備好上場

也都不在自己的位置上

只見小矮人和鐘樓怪人正在泡茶

白馬王子卻和阿拉丁吵了一架

灰姑娘和白雪公主還在邊吃零食邊補妝

最慘的還是那花木蘭的男裝都還沒穿上

轟

還是先闔上吧

給那些需要道具裝扮背景的大人們準備好

再打開這需要設計的世界吧

失望嗎　孩子

訝異嗎　孩子

你不用慌張　因為你的未來也有可能這樣

我親愛的小孩　知道嗎

晚安

重量

一的單位　到底有多少
一公升的眼淚　一公克的靈魂　一小時的等待　一輩
子的愛
一次的背叛　一陣子的友情　一瞬間的信賴　一秒的寬恕
將進酒　杯莫停　人生不過一場大夢
所以
帶我去月球吧

　　　　　　　　輯二　我是詞人

創什麼世紀

漂浮在第六章到第九章的浪
大洪水洗了歷史的愴
曙光最後一次敲破了天上的窗
四十晝夜降了百噸滂沱的霜
諾亞還獻了最後一樣
彩虹卻無力的黑了太陽

於是尼古丁便衝壞了靜止
他催促著萬物爭上最後留的幾個位置
然而羔羊還在清理腳趾
然而兀鷹還在固執
然而林夕還在填詞
然而人們還在忙減肥抽脂
然而我還說著故事
然而你　背著最美的句子

我們毀滅在天崩的第七個日蝕

黑暗中我仍能看見你的樣子

踴躍在嶄新可住之地　　蝴蝶會親吻著妳的髮

妳的眼光成為一支營養的點滴

我們馴養新的愛情

妳說　創什麼世紀

喊　哭　悼　笑　傲　鎖　弄　忍　叫

吵　喘　喔　踏　瘋　恨　遮　噴　烙

我們都在燉一碗藥

生命都在找一療效

上天讓我跟你耗

凝視的對角

戰爭中當無槍少校

肉骨茶從來不會遲到

我的愛你是藥味胡椒

他和他占據你的桌角

我陪你從半夜到清早

茴香桂皮和濃郁八角

火候剛剛好

世界變得小

愛一個巧妙

寶寶寶寶寶

1002

是這個數字吧

那是你受難的那一天

玩世不恭的一個小東西　從你身上獲得了一個人生

在前十八個 1002 裡　他總希望你能給他在那天一個驚喜或

者滿足

而在第十八個到第二十三個之間　小東西似乎不太在乎

1002 的意義

它只想到和朋友狂歡　盡興　做自己想做的事情

但即將來到的這一個小東西

雖然不太想叫自己小東西

但他仍是你的小東西

而他希望

你以他為榮

一 二 三 木頭人

一個人壓馬路　閒情

一個人走地圖　迷路

一個人吃大餐　空洞

一個人睡覺　孤獨

一個人買衣服　自我

一個人追夢想　無助

兩個人壓馬路　快樂

兩個人走地圖　互助

兩個人吃大餐　陶醉

兩個人睡覺　幸福

兩個人買衣服　想法

兩個人追夢想　分享

三個人壓馬路　同處

三個人走地圖　分工

三個人吃大餐　歡聚

三個人睡覺　亂來

三個人買衣服　討論

三個人追夢想　團結

八卦

我打開了黑色的抽屜

轟的一聲　沙沙的烏鴉成群的飛舞

牠們飛過屋頂　飛過窗邊

飛進左耳　再從右耳出現

牠們歪斜的撞進了收音機

又橫衝直撞的跌入了今天的報紙頭條

最後牠們乖乖的滑回我們抽屜

但

牠們

已經不是我的烏鴉了

工作狂

我的腳麻了

在陪著電腦溝通了五個小時後

我的腳麻了

我的眼睛痠了

在看了五個小時的 WORD 文件畫面後

我的眼睛痠了

我的背好痛

舊的傷可能還沒好吧

我的背好痛

距離五公尺的水

讓我喝吧

距離十公尺的洋芋片

讓我吃吧

我的床　再見了

我要站起來

我

不是你的

末代武士

不管已經是西元幾年

他依舊撫慰著一身邊緣破碎的紅鎧甲

鬍渣上盡是遺留下未乾的清酒香

站在榻榻米外的庭園

他拿出了有蕾絲花邊的高級手絹

擦拭掉在寶刀上那一抹已洋化的餘光

而後

他拂了拂袖

望向東方

漸漸睡入山邊的夕陽

他到現在還不明白是不是該讓他的野望

也跟著睡了算

江湖

環繞著夜鷗亭的滁山和湖泊已經入夜了

亭內人聲喧嚷

是一桌子的英雄好漢

轉的是一盤盤的壯志雄心

總是在旁默不吭聲的小奴婢

輕輕拂起鵝黃色的衣袖

把酒斟了個八分滿

一個接著一個

噗哧

她笑了

笑著看這一個個醉酒後

還自認義薄雲天的笑話

格子窗外的東方

又是一抹不乾淨的魚肚白

煙

一把火點燃了白色的長掃帚
劈啪地　枝頭紅得亂顫
一圈一圈　嘔出了心煩意亂的煙霧
一落一落　倒出了思索枯竭的頭皮屑
只兩三分鐘　不需掙扎
就躺成了一座灰墳

老夫老妻

親愛的　如果哪一天

歲月的溪水劃過了你的眼

在四周築了道鴻溝

別擔心　我的釣竿仍會放入你深邃的湖心中

等待

釣起你一尾尾　溫柔

然後

我會將它用一種叫真心的五香粉調味熬燉

煮成一鍋色香味俱全的情話

小心翼翼的放入你沒有牙齒的嘴巴

讓你　細細品嘗

萬年青的羈絆

一夜之後

不懂事的葉蔓往窗外長了

她看了看頂上的太陽

回頭對其他的夥伴說

嘿　我要走了

試探性的用嬌弱的軀幹靠著窗臺爬

卻怎麼也離不開

其他的綠色說

我們　應該　永遠在一起

蕭邦

是否一如你不回頭的走

瀟灑的音符　從白鍵跨越了黑鍵

就這麼跳著 跳著　跳出了一幅壯麗的史詩

但那一杯泥土　仍救不了你歸去的情懷

你　去哪裡

電言舌

用一根線傳達對你的思念
用一根線傳達對你的愛戀
用一根線表達對你的怨念
用一根線表達對你的無言
我失去了那根線
怎麼傳達對你的思念
怎麼傳達對你的愛戀
怎麼表達對你的怨念
怎麼表達對你的無言
科技始終失去了人性
我始終失去了耐性

第三者

滿天都是眼睛

用道德規範每一雙並行的腳印

她是你的呼吸

你是她的手臂

我在旁窺探

你想做什麼

而當你的眼神　在洩漏著禁斷的密語

我卻無意間將那隻手穿進了你的外套

但我小心翼翼　不會掏空吃盡

因為我不想整理這件外套

就算不穿了　我也不會可惜

因為

滿天都是眼睛

不好意思 我訂位了

我舉起了一棵樹

用玫瑰紅塗滿了明天以後的日子

聲音　灌飽了水分　指尖彈跳著興奮

我選擇用中文　舉例關於你的底細

雨水敲打柏油路 Do mi Re mi

日記中間的背脊　被字載滿的雙翼

呼吸　我病態的聞著你的簡訊

擦拭　貓尾巴拖過的痕跡

笑聲如鈴　我編曲

黑色短裙　風變成我的勁敵

我每天都在努力　蒐集你上一次的喘息　歎息

不要讓我的心覆蓋在沙塵之中

　　　　輯二　我是詞人

不要讓我的心覆蓋在沙塵

不要讓我的心覆蓋

不要讓我的心

不要讓我

不要

不

我貪心　願成一隻小青蛙　聒聒聒聒聒

花花花花　滿天埋葬

葬葬葬　藏起我的髒髒

我框

你讀著我的自問自答　你哭得好漂亮

我坐在你的靈魂旁　啃咬著你的指甲

哈哈哈哈

你說我病了　我說　我祝你身體健康

文字手術的人格分裂

手指透過腦神經　想要名留千古
跟鍵盤　迅速　緩慢　的對談都是痛苦
拆解　刪除　取用　刪除　複製　刪除　重新　刪除
一五七二八秒後
才明白韻腳詩絕對不是唯一出路

所以又併發另一種　去處
談政治　偽情造作
說愛　不過在　貪　談　志　嘆　之間流動
山水　還不如拿筆潑墨
關於名人　不想隔空推崇

我　從天花板看著另一個　我　正在看著鏡裡的我
在想著未來的我
說別人的話　讀別人的書
跳過了　好幾個時空

回到下標題的手術

當詩人又何苦

麻婆豆腐

辣椒找了好兄弟豆瓣醬

摩拳擦掌　準備和碎肉與蒜末打一架

它們衝進火熱的熔岩戰場

拿出自己最得意的看家本領

用鹽棒和糖刀廝殺

好心的白豆腐趕來勸架

沒想到　弄得自己一身血腥

在這個味蕾大戰裡

誰

都是人類的　手　下　敗　將

貓罐頭不自由

所有的情緒全在工業器材的壓縮下

被裝進鋁製的小罐中

不管喜怒哀樂　全被壓上了條碼

變成了一樣的臉孔

為什麼

我沒辦法與眾不同

輯二　我是詞人

造夢專家　詞：Toro 郭葦昀

什麼讓你抓狂　什麼讓你絕望
什麼讓你抓狂　什麼讓你絕望

V1
有病　我有一種病
我有問題　所有事都會搞不定
麻煩　不用鼓勵
鼓勵也只是對我　另外的一種打擊

Rap
說我頭腦太瘋狂　太多不踏實夢想
每個進度不一樣　我自慢我的成長
做得好也要被罵　每天為了錢掙扎
站在高樓天臺上　跳下去會怎麼樣

Pre-C

醫生醫生救救我　上帝上帝教教我

天生我才必有用　我才是什麼？

Keep on dreaming

V1

我看不見　豔陽藍色的天

直到和你真正遇見

那些女神　都化成一縷煙

你懂我在努力的那條線 yeah

V 2

你是我的天堂　海豚跳進海洋

連呼吸都有光 oh oh

讓我有能量再大鬧一場

幸運裝滿手掌　不再陌生和害怕

和虛偽打架　和你找到偏方　和你濕頭髮

I know is ᴜᴜᴜ I know is ᴜ ᴜ ᴜ

C

You are my beautiful girl

夢與現實都變成一樣 yeah

You are my beautiful world

我裝　全新的心臟

飛機大砲坦克都不怕

I knew it

造夢專家在這裡

Oh my god god god god god

現實不把你壓壓

lady 要你 ga ga ga

The party gonna rock rock

雙雙　　詞：Toro 郭葦昀

A1

終於停止了追放

見識過多少強大

穿戴過的笑容走到終章

才發現是一面牆

低調的燃一冉香

因為你停止流浪

看癒合的傷口緩緩發燙

原來愛需要逞強

B

你是墨染在紙張

你是風吹皺紗裳

你是淚在我眼眶

打轉卻不會流下

C

雨斜打每一個過客肩膀

打亂寂寞的形狀

一把傘兩個人

就不怕　雷落下　風在颳

就永遠對對雙雙

天灰著每一個期待臉龐

摧毀著新郎新娘

有我在你不怕

背你在我的心上

就永遠對對雙雙

A2

我們擁抱著夕陽

我們輕靠著月亮

我總看著你那傲慢的步伐

親吻著你的指甲

一起數滿天星光

從豔陽到滿地霜

我在你眼中經過多少風光
怎捨得萬世留香

Repeat B、C

愛呀　詞曲：Toro 郭葦昀

C
尋尋覓覓摸摸索索
遷怒以後眼淚流錯
傷的太多　太多
怎麼　才不會痛

安安靜靜卿卿我我
癱瘓以後習慣軟弱
你說　妳說
還是又把指尖咬破

我們太懶惰　我們太蹉跎
我們也只想要好好愛過
事過了境遷了之後
一個問候　也夠

A1
我們需要勇敢　需要接受挑戰
戰戰兢兢卻把每個過客都當作跳板
轉到陌生的灣　搭一艘無名的船
等不到下一個岸　我們選擇自己跳海

B
你總貪玩　你總習慣
用一種遊戲世界的心態
不要亂　不會改
你慢慢的變壞
怎麼辦　怎麼辦
我們還愛不愛

Repeat C

A3

犧牲了的是愛　磨不掉是悲哀

原來愛的架構出來的只是　貪　談　忐　嘆

謀殺了所有信賴　一次又一次試探

在那一頭的妳　是否還會有歸屬感

B

你總貪玩　你總習慣

用一種遊戲世界的心態

不要亂　不會改

你慢慢的變壞

怎麼辦　怎麼辦

我們還愛不愛

Repeat C

Kiss lover 親人

詞：Toro 郭葦昀

睡　到下午三點半才知道要醒

昨天晚上又被你三次偷襲

我們的緣分就像魚蛋配熱熱的咖哩

愛　抱著你跟著你說我要親親

你還忘記拿掉那粗框眼鏡

讓我的理智當機　這刻突然好愛你

親你　我的嘴唇需要蜜

永遠都貪心

kissing kissing kissing kissing kissing

就是你　我就要親你

親密　誰比我們要更親

我用了英語

kissing kissing kissing kissing kissing

親的你 all nite

下禮拜我們飛北京
等不及就去東京

還是要去巴黎
一顆心加一顆讓我 Say hey
好像這樣就永遠都不會孤獨
好像這樣就永遠都會幸福
你是我的收音機
你是我的太陽
是我的收音機

一百種關係 詞：Toro 郭蓳昀

A1

彈鋼琴　談愛情　彈掉你會比較容易

談星星　談詠麟　彈跳後會比較開心

A2

你是我最麻煩的問題

雪花綻放後的空氣　你掌握最獨裁的權力

B

我們總有一百個問題　一百種聲音　演一百樣劇情

我們用了一百塊現金　一百種表情　流一百次鼻涕

我們還要一百種美麗　一百波漣漪　再一百份努力

我們建造一百顆淚滴　一百次相信　有一百種關係

C

這個世界要歡天又喜地　我們卻遇到太多的困境

你總是愛生氣　一下就不開心　還不如就　喔拉　喔拉
喔拉　喔
有太多的習題　我卻還在為這首歌造句
你總是愛生氣　一下就不開心　還不如就　喔拉　喔拉
喔拉　喔

A3
礙事你　愛是你　愛試你每天的表情
走路沒有聲音　偷偷摸摸談情　你現在到底和誰在一起

A4
你是我最麻煩的問題　雪花綻放後的空氣
你掌握最獨裁的權力

我不是個宅男　我超級的勇敢
每天都會在大街上和朋友一起示範　灌籃
從灣仔到缽蘭　從河北到湖南
我比勾踐還要更會臥薪嚐膽
握你的心不難　嚐你的膽好甘

　　　輯二　我是詞人

本地已經沒有偶像比我還要更帥

你不要閃　我擊發一百顆子彈

不要馬上一拍兩散　我愛你　你愛我不愛？

七面殺手　詞：Toro 郭葦昀

A1

我又迷失在總是對不上拍的年代

太多的粉紅光線在我眼前一直閃

裝備齊全後下個任務怎麼又是愛

我能力有七種絕對讓你兵荒馬亂

C

第一　萬有引力　第二　總是笑嘻嘻

第三　來顆佛心　麻煩你　不要急

第四　熱血煽情　第五走　貴族氣息

第六　鉅細靡遺　能不能　看仔細
小心　注意　冷靜　掀不到　我的底

A2
我黑白的繼續在這個城市裡奮戰
遇過再多的怪奇陷阱　我還不腐壞
你以為我梭哈　其實還有太多底牌
不用奇怪　你就愛

小心　注意　冷靜
掀不到　我的底

D
現在數到七　不用再標明
殺手的天性　七次方的神祕
還不夠傳奇　你不用喘氣
我們就一起　七次方的神祕

上班女郎   詞曲：Toro 郭葦昀

A1
便利商店的簡單早餐
今天要跟誰相處愉快
咖啡　手機　鍵盤
倒盡日光的狂歡

A2
忙著讓簡單的事變難
笑話八卦在不停的轉
韓劇　愛情　挫敗
石破天驚的浪漫

B
不會只跟同一個人晚安
卻又愛一對一的安心感
但是

還有多少時間可以讓我這樣玩

C
上班女郎還是習慣不停的猜
永遠覺得世界讓自己如此不堪
自己很想修改　又被什麼牽絆
眼淚　眼線　眼閉起來

上班女郎還是想要有人寵壞
拿捏每個對象　讓一天天都精彩
事實來的太晚　金剛怎麼不壞
我猜　我猜　我猜猜猜

repeat A 2、B、C

D
純真收在找不到的口袋
煙霧瀰漫　歌聲笑聲取代數場比賽
誰勝誰敗　切歌插播再來

輯二　我是詞人

找到愛

太難　還是太簡單

大聲　　詞曲：Toro 郭蓁昀

大聲　請大聲　在這個麻木的城

我還有餘溫

大聲　請大聲　雨打著脆弱的人

好好看著我　能

大聲　請大聲　在這個繁星的深

我還要倖存

大聲　請大聲　雨刷著脆弱的魂

請你帶著我　神

誰的故事比較傷心
誰的結局比較徹底
身邊的人來來去去
我越沉溺越清醒

我用受害者的表情
回顧已揮霍的過去
也許離下一站距離
我還需要一點雨

輯二　我是詞人

貂蟬　　詞曲：Toro 郭葦昀

A1

我又迷失在現代　粉紅的光線在閃

多想回古代　一人一個伴　不用亂猜

A2

感情已兵荒馬亂　破釜沉舟不簡單

談情太傷感　說愛太空談　拿什麼交換

B

一顰醉江山　一笑枯滄海　快點掏空我的愛

一時會心軟　一時難判斷　動了情就很快澎湃

C1

快閃　請不要山寨　閉月羞花的來　又要準備作戰

快閃　不能太依賴　要怎麼戀愛　遇到你就像呂布

這樣都崇拜

（一點櫻桃啟絳脣 ）

A3

我又迷失在未來　愛情太速食晚餐　多想回古代

一人一個伴　不用亂猜

Repeat B

C2

快閃

請不要山寨　閉月羞花的來　又要準備作戰

快閃　不能太依賴　要怎麼戀愛　遇到你就像呂布這

樣都崇拜

（一點櫻桃啟絳脣　兩行碎玉陽春）

天上人間（原　三月）　詞：Toro 郭葦昀

A

閉上眼也許就不會那麼暈眩

為何我總是站在快成功的邊緣

B

口紅已經不鮮豔

劇情不是我在演

與其這樣不如放棄一切

C1

誰唱過的天上人間

歌頌過的一切都如煙旋轉跳躍

我睜開眼才發現　我是一廂情願

不用抱歉

人敗過幾次後總難免

祝福的話更刺耳一點

C2

誰愛過的無悔無怨

背叛過後還能說隨緣

日復一日被愛毀滅

以後我會忘了這字眼

不用抱歉

我的傷口很快就復原

我會勇敢站在你面前

半生人　詞曲：Toro 郭葦昀

V1

這通不通　街頭和時尚撞衝

公爵頑童各占一半的我

夠不夠　要第二次廣播

拿捏捉不準惹火或出糗

透不透　是嫌犯還是真兇

一個呼吸就被一寸寸掏空

懂不懂　我被動我主動

還要怎麼期待下一秒鐘

V2

這只有一半的我　一半的我　不甘示弱　鑽石對上饅頭
一半的我　一半的我　對稱後　你說

C1

你愛我二分之一的浪漫
你愛我二分之一的無賴
但只有一半的我　一半的我　組合後

V3

鬥不鬥　我分身也是對手
有時候也會被我自己強迫

走不走　還在這等什麼
不想末日寂寞就期待我

V4

但只有一半的我　一半的我　不甘示弱　良民對上殺手
一半的我　一半的我　對稱後　你說

Repeat C1

V4

但只有一半的我　一半的我　不甘示弱　上海海上漫遊

一半的我　一半的我　對稱後　你說

Repeat C1

D 香檳碰上清酒　頭暈　目眩

C2

你愛我二分之一的浪漫

你愛我二分之一的無賴

但只有一半的我　一半的我

組合後　保證　絕對　無害

名為愛情

詞：Toro 郭葦昀

V1

當你看著我的眼睛　呼吸有聲音

月光光心不慌　只想說 I just love you

當你讀著我的唇語有心電感應

舌甘甜宓　虫蜜宓虫蜜

V2

手牽手心牽心　影子不用再遷徙

摩天輪　轉了一圈就過了四季

我們是一部電影　雙雙導演編劇還要收音

重播不膩　微笑眼睛　轉動著的你

H1

每一天都有驚喜　每句話都在談情

就算世界倒轉　怎麼都不奇怪

每一天都抱著你　每分鐘都有絮語
要一起　保護祝福這份愛　永遠不離不散

V3
當你躺在我的肩膀　飛機起飛了
我飛　寫下一萬個遊記

當你說著夢想　我覺得很有意義
I love whatever you want

V4
眼對眼印跟印　默契不用再考慮
過山車　翻了一圈又過了四季
我們是一部電影　雙雙導演編劇還要收音
重播不膩　微笑眼睛　轉動著的你

H 2
每一天都有驚喜　每句話都在談情
就算世界倒轉　怎麼都不奇怪

每一天都抱著你　每分鐘都有絮語
不再有迷惑　永永遠遠到盡頭

Rap
故事的起頭　我們在那碰頭
十年之後我們不是朋友
還懂　還要牽手
小小大大宇宙　幾億人類之中
我真的不小心　拉你到我懷裡
要聽你的小孩聲音叫你媽咪
溫暖的手相信　這是命運賀禮
我們之間距離　悄悄連一起

她騎了夏　　<small>詞：Toro 郭葦昀</small>

忘了上一個她　忘了上一件潮 T 丟在哪

迷魂香　護手霜　調整一下　金色想法

晚上電視愈演愈可怕　我逼不得已只好出門吧

電話響　震動得好緊張　換你怕不怕

LED 操場　七彩的課堂

有些人出來玩還會帶著牙刷

有些人莫名其妙的還修了他指甲

酉和卒歸類　目害相隨

人獸爭相排位

還要再多喝一杯

才懂世界多麼完美

她騎了夏　她騎她騎她騎　她騎了夏

有了她　整個宇宙都變得冬暖夏涼

閉上眼是不是沒有牽掛　真的是這樣嗎？

I miss u I miss u I miss u miss u miss u

她騎了夏　她騎她騎她騎　她騎了夏

有了她騎了夏我的冬天不用慌張

真的嗎？誰作法？誰說謊？一起鼓掌

I miss u I miss u I miss u miss u miss u

Rap

我的身邊都是我的人

可惜他們通通不是人

思想純正　品格滿分

可惜嘴唇還是在找嘴唇

給你安慰　卻會傷胃

附贈心碎　當作小費

找不找得到下一個機會

加入表面歡樂配對

四十億人　二十億份的愛

吞火的人　詞：Toro 郭葦昀

A1

已經受夠無聊的清晨

入夜卻又感覺特別冷

還再尋找下一個抱枕

每個人都戒不掉溫存

B1

愛病得很深

我們多少次轉身

用借過膽的靈魂

再試探愛的可能

C

我是個吞火的人

咀嚼著愛的餘溫

見識過愛的殘忍

才知道沒有可能

我是個吞火的人

麻木是我的本能

如果你再遇見像我的人

請收起殘忍

A2

默默的又遠離了天真

本能燃燒乾涸的嘴唇

當你又盲目的給了快樂

我也跟著麻木的鋪陳

第八個人後　　詞曲：Toro 郭葦昀

V1

Macus fang　愛抽菸　虛榮發自內心作祟

Julian Yen　總找機會想入非非

Duncan kao　很體面　我卻只覺得我不配

Adam sun　下一次又會跟誰睡

V2

失落　歡笑　疲累　倒轉和諧媚

到底是前進還是迂迴

C

我們都虛偽　都一樣的廢

一樣可悲　一樣睽違

那一個純真範圍　在不停的退

誰能夠給一對戀人啊　好遠的字彙

V3

Jacky hong　愛搞鬼　笑話多到讓我流眼淚

Brandon chan　總在清晨前才入睡

Carson lai　小心眼　一句話就可將他擊潰

Victor xiao　說他是我最後堡壘

V4

窩心感動無聊閒情的一夜

別耗費時間繼續曖昧

Repeat C

D
不管了　我繼續醉
在狀況不明之中徘徊
字不打了　我閉上眼在飛

C2
我們都犯罪　愛上多個誰
自我安慰　虔誠的嘴
也只能吐出崩潰
再一次流淚　又是為誰
你們　都不配　為我傷悲

第四個願望

詞：Toro 郭葦昀

A

幻想白色教堂　鐘聲正敲響

你穿著婚紗 ah ah ah

不說話　很緊張　我在身旁　不用害怕 woo woo 下一幕

我們聽著海浪　頭髮牽頭髮

一直到天亮 ah ah ah ah

我一生　換一個微笑　很公平吧 yeah

Not the same but complimentray.

Solve Problems and difficulties together.

Don't have to be apart now that we're married.

Becoming God's image of husband and wife.

B

你讓我信仰　我還你肩膀

我們是彼此另一半的翅膀

就讓這次飛翔不落地好嗎 yeah yeah

讓我們的家　就像天堂

為了孩子匆忙

現在的我們暖暖的擁抱凝視著對方

C

我要給你的　也許不只是三個願望

我要陪你看的　也不只是一個月亮

找一首幸福的歌來唱　記憶每一個時光

I love u i love u i love u love u babe

我要給你的　也許不只是三個願望

我要陪你看的　也不只是一個太陽

想一想　望一望　許下它

I love u i love u i love u love u babe

A

一起逛的商場　幸福不打烊

小狗很會汪 ah ah ah

我的心　不特價　你想買嗎　附贈假牙 woo woo 再一遍

我們選這音響　五點一喇叭

立體的浪漫 ah ah ah ah

我祈禱　平凡和健康　屬於我倆 yeah

B

你讓我信仰　我還你肩膀

我們是彼此另一半的翅膀

就讓這次飛翔不落地好嗎 yeah yeah

讓我們的家　就像天堂

為了孩子匆忙

現在的我們暖暖的擁抱凝視著對方

C

我要給你的　也許不只是三個願望

我要陪你看的　也不只是一個月亮

找一首幸福的歌來唱　記憶每一個時光

I love u i love u i love u love u babe

我要給你的　也許不只是三個願望

我要陪你看的　也不只是一個太陽

想一想　望一望　許下它

I love u i love u i love u love u babe

無知　詞曲：Toro 郭葦昀

A1
我還睡在不堪的現實
用網路記錄我的日子
鏡子裡你看我的樣子
還在找你不知道的事

A2
走比奔跑會更有位置
我優雅的再躺下一次
擊敗我有很多種方式
但拿不走我那一把尺

B
我瀏覽過多少諷刺
我用挫折一直寫字
我只想知道　你是不是

C1

背著一身的刺

看著別人寫故事

再多咬牙幾次

再多流淚幾日

可以再摔一次

反正我不用解釋

從來沒有停止

反正都無知

A3

搬過幾間不一樣的房子

平衡幾次成熟和幼稚

我試著黑白整個城市

那種色調還比較真實

Repeat B、C1

C2

背著你的袋子

完成說好的放肆

從來不想停止

成愛的壯士

闖王　詞曲：Toro 郭葦昀

我開始闖（闖闖）

我開始闖（闖　闖）

我開始闖（闖　闖闖闖）

我開始闖（闖　闖闖）

我開始闖（闖　闖闖闖）

V1

狐狸搖著尾巴　神仙還沒解答　華麗低調的靠近那一杯濃

濃濃湯

過程撒哈拉（夏娃說我愛亞當）　危機在清倉（關上你嘴巴）

倒數數字滴答滴答　裝扮有一點扶桑（請你不用客氣　短裙上了腿際）

爬進你這裡　爬進你那裡
又有誰能抓到我的祕密證據

V2
這是一個破關的遊戲
千鈞一髮你要做決定……

C1
我開始闖　（闖　闖闖）
我開始闖　（闖　闖闖闖）
我開始闖　（闖　闖闖）
我開始闖　（闖　闖闖闖闖）

誰是後浪誰前浪　通通死在沙灘上

（喔喔喔喔喔喔喔喔喔喔喔喔喔喔）
誰是後浪誰前浪　通通死在沙灘上
（喔喔喔喔喔喔喔喔喔喔喔喔喔喔）

V3
青蛙擦著著嘴巴　蘋果還沒落下　豔紅的唇印說明你剛剛
在在在哪
調整了時差（亞當說我愛夏娃）　曖昧不放假（關上你嘴
巴）

倒數數字滴答滴答　裝扮有一點扶桑
（請你不用客氣　短裙上了腿際）

爬進你這裡　爬進你那裡
又有誰能抓到我的祕密證據

V4
這是一個破關的遊戲
千鈞一髮你要做決定……

Repeat C1

D

你快樂　不快樂　你快樂　不快樂　你快樂　不快樂　你快
樂

C2

我開始闖　（闖　　闖闖）
我開始闖　（闖　　闖闖）
我開始闖　（闖　　闖闖）
我開始闖　（闖　　闖闖）

花灑了　愛翻了　愛讓我醉倒了
雨下了　天暗了　彩虹一片黑了

世界不髒　　詞：Toro 郭葦昀

A1

不要再擔心了

我們會很堅強

不用再貪圖　再武裝

安心的睡吧　閉上眼睛吧

A2

大雨在下　灰白色的陽光

彩虹哭了　還找得到嗎

B

當愛蒙上了霜　我不敢去想像

人們堆積謊話　建築多少失望

我們在成長　卻無心傷害了最親愛的對方

C1

不哭了　我們　還在天堂

擁抱著　微笑　世界不髒　還微亮

A3
貧窮讓人心恐慌
飢餓　我們害怕
海嘯捲走信任善良
多少顆心臟還在震盪

A4
砲聲在響　濕淋淋的彈夾
女孩哭了　請緊抱著她

Repeat B1、C1

D
難道剩下的只有失望
我們不能投降
每個角落都要被照亮　我盼望　為你點亮

B2

求一道光芒能讓　我們去仰望

多少的罪此刻　能夠得到釋放

我們虔誠吧　雙手合上　再給我一次力量

C

不哭了　我們還有天堂

擁抱著　微笑　世界不髒　還微亮

模仿犯　詞：Toro 郭葦昀

V1

一場沒人看的犯案　背負著沒有自己的重債

本想讓遊戲更好玩　誰能演出被害者都還找不到夥伴

v2

幻想萬人空巷讚嘆　我指揮前所未有的舞臺

盡頭還是煙霧瀰漫　他們說我更改路線後只會是禍害

B1

如果可以跟陳奕迅之類的人生交換

唱著一個靈魂的獨白　會不會我就不被淪為罪犯

C

我做的好事不算少　那些小惡也該被忘掉

被記得到底重不重要　反正應該還有幾個老友憑弔

當我知道我不可靠　那些輿論其實也不重要

被愛的時候　我才能感到　我的才能你也看不到

V3

我在我的對面作戰　倒影著沒有臉孔的無賴

我的精神卻更散漫　我的世界加害者都還找不到安排

V4

活在不太善良年代　一次投入換一個納命來

天堂還是光輝燦爛　我試了幾次卻找不到偶數的存在

B2

如果可以跟薛之謙之類的人生交換

就算變成一個醜八怪　會不會我就不會腳步蹣跚

Repeat C

D

或是只是一場胡鬧　我用一首歌證明我的渺小

我真的活得無聊　可不可以不那麼無聊

服裝師　詞曲：Toro 郭葦昀

V1

你搭配著藍色憂鬱話題

明天需要桃紅色般的不清醒

你揮揮手我就回應

再給你披上一件新的大衣

關於你　我成了不需要的卯釘

B

你踩著高跟女王般的貴氣乍現初臨

我跟著你的影子都要裝得得體

C

我們經歷過了一件一件上衣

我見證你褪去一襲一襲花裙

我陪你歌唱我看你演戲

裝瘋賣傻像個神經

而終於度過了一場一場鬧劇

我將那些破衣一件一件洗滌

我看清輸贏　我淪為玩具

我卻只能對你說　對不起

D

或許你需要別的人服務你

或許你根本還不懂得珍惜愛情

你只是穿上了新的毛衣

而我卻發現我真的現在才懂你

夕又示　詞：Toro 郭葦昀

V1

生命沒有停止　我們都是浪漫的火苗

不痛了　人生不用再比較

V2

願　都能找到那顆解藥

親友們　也不用再吵

化作塵囂　夕陽又暗示什麼美妙

B

我做的好事不算少　那些小惡也該被忘掉

被記得到底重不重要　反正還有幾個老友憑弔

C

飛呀　別離的聚焦

飛呀　生存的煩惱

雲層裡以前那些被穿越的

都是無法改變的

飛呀　疲倦的建造
飛呀　不用辛苦的繞
我回到給我的懷抱
終於我能明白　愛的重要

銀色吉他手　詞：Toro 郭葦昀

A1
靜止狀態的時候　壓抑溫柔
爆裂不同的感受　燈光煙火
牽著的那隻手　是時候放鬆
偶爾英雄　偶爾失魂落魄

A2
讀取千萬人的夢　心中破口
銀色和弦也刷過　浩瀚河流

會義無反顧衝　卻時而冷漠

訂製感動　但也假裝古惑

B1

就讓你抄襲我的感受

就在你的身體裡降落

C1

我可以忘了怎麼演奏

再一次譜出卻是你的笑容

路怎麼走　無色天空

再作首歌將我的回憶咬痛

我可以飛舞各式時空

聲色犬馬裝進一整首花紅

過去還是懵懂　謊言不再畢卡索

再作個夢　將你放在永恆宇宙

A3

假面搖滾的穿透　釋放執著

免疫炫目的胡同　匹克右手
疲憊在飛行後　樂與痛不同
偶爾雞婆　偶爾心靈捕手

B2
就讓你褻瀆我的感動
就讓你的鍵盤裡崩破

C2
我可以忘了怎麼演奏
再一次譜出卻是你的笑容
路怎麼走　無色天空
再作首歌將我的回憶咬痛

我可以飛舞各式時空
聲色犬馬裝進一整首花紅
過去還是懵懂　謊言不再畢卡索
再作個夢，而我已經一夜白頭

溫   詞：Toro 郭蓁昀

V1

終於是我了　怎麼心裡萬千的話

終於在這一刻　歸零歸寧龜靈都是變同一種解答

你的出現就像是絢爛煙花

我該心裡強壯　比你看到的外表還挺拔

B

我富不富有　取決在你的回答

如果是你　我生命願意交換一半以上

無論等價不等價

起碼失去我　你還等於整個家

C

我終於找到必須努力的終章

我終於找到幸運的字彙　原來可以物現化

人海茫茫　我們成為彼此船與港
要沉要好　那都一起吧

我終於聽到愛情最近的模樣
我終於牽到的手　一次結束我的荒唐

人海茫茫　我們成為彼此船與港
要沉要好　那都一起吧

編曲者　詞：Toro 郭葦昀

A1
剛剛編了前奏　爆裂溫柔
鋼琴大鼓的痛　耳內煙火
牽著的那雙手　現在沒有
可能一下英雄　偶爾也落魄

A2

讀取感情的錯　內化河流

選擇障礙的扣　顧內沙漠

每根指頭都重　當你遠走

訂製億萬感動　卻偷偷哭過

B

要不要注入我的感受

能不能往你心裡降落

C

我可以突然放棄所有

但放不下給你的演奏

路無路用　填不填空

這一首歌將我的回憶抓瘋

我試過麻痺各種止痛

但不小心又滿臉淚流

惶不惶恐　雨不停落

這煙還是薰得我漸漸消瘦

D

一場春秋　一刻婆娑　音符裡再作個夢

花與煙蒂　詞：Toro 郭葦昀

V1

種了　開心

等待著天空下雨　淋別人花季

陽光不理　我　你

V2

路沿　彎曲

正好　我落在泥土裡

你正喘息

掙扎　最後　光景

C

於是　遇見了你

不再傲氣

只能燃燒殆盡

而我謝了一地

無法前進

我看著你　呼吸安靜　依偎　休息

不前進的旅行

V3

忘了姓名

經過的蝸牛冷眼凝

幾秒可以

時間　暫留　幸運

C

於是　遇見了你

不再傲氣

只能燃燒殆盡

而我謝了一地
無法前進
我看著你　呼吸安靜　依偎　休息
不前進的旅行

D
我們不奢望能相愛的美麗
但是如果痛到　也希望記憶能夠像魚

怪綺物語　詞：Toro 郭葦昀

V1
這地圖被事實剪得支離破碎
都成了傷心鬼
挽回不了溫柔的一念之罪
執念總在酒吧喝醉

V2
愛是一杯溫水
不定時需要被煮沸
對待像是匯兌
驚喜已不見　思念吹灰

C1
不變怪物愛到了人類
聖誕節的荒廢
談真愛誰也不配
故事也不血淚
莊周謝謝不給我沉睡
只有一次夢一回
滴滴答答
美女與野獸的堡壘

V3
第二季超自然再愛一回
走過千里的腿

拿捏分寸就扮不成好妹妹
起碼不會一起匪類

Repeat V2、C1

C2
不變人類愛成了鬼魅
喜與悲的輪迴
談真愛誰也都呸
童話鎮壓血淚
今天謝謝你噴了香水
只有一次夢一回
滴滴答答
門當戶不對的原罪

D
我閉上了眼　今天西風猛吹
翻頁已經結尾

安心得理　　詞：Toro 郭葦昀

V1
星辰的尾巴　　拖曳的比過去還悠長
暗夜空的紗　　碼了你原本清楚模樣

為瞳孔開一扇窗
讓孤獨充滿力量

B
刺在你心上　　我得像冷風一樣
而你的豔陽　　卻暖在我的臉龐

C
雲不會一模一樣　　愛的故事也有不同說法
起初只是渴望　　相遇的時機會是哪一場
繞過了種種人世蒼茫　　我們已經不一樣
但起初只是渴望

V2
未融的雪花　躺在頑固的京都地上
空洞的圍牆　我們也在這裡曾塗鴉
在空中閃一道光
在幻想中披婚紗

Repeat B、C

D
所以我們平行的流浪
在不同的時間線裝忙
或許這樣　或許那樣
或許　愛上
或許就微笑吧

D
所以我們平行的流浪
在不同的時間線裝忙
或許這樣　或許那樣

或許　愛上　或許
就微笑吧

三生一世　　詞：Toro 郭葦昀

V1
一生走了十分之幾
每個過程都留在當年的你
就算我追尋的只是浮光掠影
到最後也只希望你快樂而已

跨過了幾個時代的勇氣
我和你　單向的　我對你
和　這個字　我無法定義
只告訴自己不能輸給了俗氣

B
前世我應該欠你
來生已經沒有僥倖
若再來生無可戀
之所以
希望那個你還是你

C1
三生一世　像露珠一滴
讓風吹過幾個世紀
我還站在這裡
轉眼已半白的髮際

三生三世　或許也多餘
淚流走時光閃電裡
你仍無處可尋
我們擁抱在另一個時空裡

　　　　輯二　我是詞人

V2

少年時仰頭看著你

每個過程都留在眼角笑意

你走後留下的就算刺骨醉心

到如今還是希望你快樂而已

翻越了幾片雲層的祕密

我和你　單向的　我對你

你　這個字　我無法定義

只寫在心底　不能笑話了自己

Repeat B、C1

C2

一生一世　像滄海一粒

愛就埋葬在海浪裡

你是否在那裡

眺望著我們的曾經

重新定義現實跟心裡的距離

三煩市　詞：Toro 郭葦昀

V1

這天空畫出了風景

空氣裡曖昧的蹤跡

春秋夏冬排隊過去

久病就能成為良醫

路口正寒暄的氣息

酒吧點燃夜的美麗

試著不要往心裡去

十字路口交叉愛情

V2

煩無助　煩舞步　煩迷路

好的壞的一次說出　這樣就比較覺悟

想著她　他乾了眼眶雨又下

那麼就　問問　你在幹麼

C

這樣一個三煩的 city

百萬人正撞擊著關係

我和他　你和他　我和你

偶爾討論第五個季節的話題

這樣一個三煩的 city

一杯拿鐵的浮光掠影

我愛他　你恨他　我和你

重新定義現實跟心理的距離

D

太多激情　太多人在鼓勵

卻又購買太多離去

對溫度太反應

太常在家裡　風水生太極

你，生日快樂嗎

詞曲：Toro 郭葦昀

V1

好久不見　好多故事被經過

一個人火鍋　熬著思念的湯頭

眼鏡霧了後　路怎麼走

V2

在你之後也有過幾個不錯

手機的密碼解鎖　幾個數字

讓他們也曾經猜過

B

我們曾租過的窩　通勤時偶爾會經過

只是時間配著風　貼上了皺紋在額頭

C1

城市的同一個巷口

不同的前後時空

我跟不同的人牽過手

有快有慢　現在還讀不到盡頭

偶爾你會閃過

也許只是不具體的念頭

世界很大　我繼續探索

號碼還有沒有封鎖

V3

刻意避開你的社群追蹤

你其實可以完整消失在我生命裡頭

剩命不多　幾個數字

啊　你是這個星座

B

我們也做過的夢　完成在別人的角落

只是感覺過了後　該說的也可以不用說

Repeat C1

C2

翻看最後訊息之後

不快樂的淡然後

發現不代表幼稚成熟

只有我懂　某種緣分還是在修

但已經不會陣痛

也許就是一沙漏的婆娑

最後之後　還藏有以後

命運還有　沒有封鎖

D

手機解開　幾個數字　還是你呀

突然想起　是今天了

我想說

祝你生日快樂……

輯二　我是詞人

有生之年　　詞曲：Toro 郭葦昀

C
而有生之年　我們有幸遇見
並存激盪倖免　有時也休眠

而有生之年　願能再見一面
沒遺憾的紀念　終直到永遠

V1
大人的心臟　是帶殼的牡蠣
也曾經走到這裡　我是如此的努力

看看鏡子裡的自己　還算慶幸
沒有一直讓自己委屈　我也還算清醒
懂得收放懂得急

我們無法讓每件事都是好的事情

但也學會　就算否極也甘之也如飴

不同的角度可以看同一條爛消息

不會用爬樹的能力去評斷一條魚

最深的關係　不過就是回頭最基本的練習

想過我們的帆張揚了　是否同個目的地

這片海洋　鯨無盡　看天上同一片雲

不能飛　那就跑吧　不能跑　那就走吧

不能走　那就爬吧　總之不停的前進

B

不能飛　那就跑吧　不能跑　那就走吧

不能走　那就爬吧　總之不停的前進

Repeat C

V2

一步一步修正的我

打傳說王者也不會再怪隊友

獨占鰲頭　或者是看我沒有

黑歷史不多　也漸漸不記仇
有時腦弱腦弱　暫別數落數落
也想試看看另個關係在平行時空
究竟我們是攜家帶眷　還是孑然的過

我們終成為這城市裡不完美的人口
在某些人口中我們也不是好貨
只要你懂　但你是不是真的懂我
能夠達到互相了解變成一種奢求
也睜一隻眼閉一隻微平衡這樣的過

拿掉身分與資格　不想弄髒的靈魂
激將寬容並存　沒人懂誰亂了
於是就微笑學會了　把所有快樂收藏著

Repeat B、C

V3
要撐著填那正確的表格
到盡頭醒著自我折磨

在選擇中被善惡總和　不完美的人生

想要　租個更好的軀殼讓自己更貴　被珍惜著
眼前不會一直是綠燈
這不完美卻精彩的人生

於是都咬著熬過了
時間刪去那幾種人設
曾墜落的關頭　回頭看風景很透
誰都很痛　但答案總變動

活得太像件白T恤　一點黑就髒
活一身黑　沾上了白也看不見它
怎麼做才算夠　也就迷彩一點吧
做一個太陽　繽紛了想像

被雙標的我總做不成慈善機構
夢裡我穿越的是另一個平行宇宙
別個我還在修　還會痛　還要走
過　就過　繼續過　我　我　我　我

開口不再情緒勒索的人
有個你拋橄欖枝在等
風停雨後撥開的餘生
這些悲歡離合沖刷的城

翻篇後寫的字字入本
學會很多　這好事多折
希望這世界惡意能少一點
就算結果跟想的不一樣也不用抱歉

Repeat B、C

後記 ▶️

我很喜歡文字，
我寫了很多歌曲、很多歌詞，
有的花了兩三天，
有的，兩個小時就完成了。
我花了四年多的時間，寫完了一個劇本，
我也花了十年的時間完成了一部小說，
我以為這些時間都很久。
這本書的文字，分別是在臺北海邊或是家裡，
有的時候在上海，有的時候在北京下雪的咖啡店，
甚至是在韓國地鐵站的路邊階梯上完成。
打字的部分大概花了一年的時間，
但其實這些文字的內容，我發現我寫了半輩子。

我們之後的故事，
應該還會繼續吧？
聚散
愛恨
愛
愛　到

某年

某月

某一天

後記

感謝贊助

NIHOW®   EVOLRICH   NU ZONE

Popular 42

我們沒有約好的明天

作　　　者	Toro 郭葦昀
責 任 編 輯	龔橞甄
校　　　對	劉素芬
照 片 提 供	Toro 郭葦昀
美 術 設 計	任宥騰
別 冊 設 計	江麗姿

總 　 編 　 輯	龔橞甄
董 　 事 　 長	趙政岷
出 　 版 　 者	時報文化出版企業股份有限公司
	108019 臺北市和平西路三段二四〇號四樓
	發行專線　02-2306-6842
	讀者服務專線　0800-231-705・02-2304-7103
	讀者服務傳真　02-2304-6858
	郵撥　19344724 時報文化出版公司
	信箱　10899 臺北華江橋郵局第 99 信箱
時 報 悅 讀 網	www.readingtimes.com.tw
法 律 顧 問	理律法律事務所　陳長文律師、李念祖律師
印 　 　 刷	勁達印刷有限公司
初 版 一 刷	2024 年 9 月 27 日
定 　 　 價	新台幣 499 元

（缺頁或破損的書，請寄回更換）

時報文化出版公司成立於一九七五年，並於一九九九年股票上櫃公開發行，
於二〇〇八年脫離中時集團非屬旺中，
以「尊重智慧與創意的文化事業」為信念。

我們沒有約好的明天 / 郭葦昀 (Toro) 著 . - 初版 . - 臺北市
：時報文化出版企業股份有限公司，2024.09
　　面；　公分　－ (Popular；42)

ISBN 978-626-396-637-6(平裝)
1 自傳

863.55　　　　　　　　　　　　　　　　113011543

ISBN 978-626-396-637-6
Printed in Taiwan